Chères lectrices,

Alors, ça y est, vous savourez enfin l'air des vacances ? Avouez que c'est bien le plus agréable qui soit… Marin, alpin ou boisé, nous avons bien du mal à nous en rassasier tant il est précieux… et éphémère, de surcroît !

J'espère que, en bouclant vos bagages, vous avez pensé à emporter l'essentiel. Ce que j'entends par là ? De la lecture, voyons ! Un bon roman ne fait-il pas partie de la panoplie des vacances, au même titre que la crème solaire, les tongs, et les petites robes d'été ? Car les visites touristiques et les balades au grand air ont beau être agréables, reconnaissez que pour se changer les idées, il n'y a rien de tel qu'un bon livre ! Vous savez, ce livre qui vous suit partout — au bord de la piscine, sur le sable brûlant ou sous les grands arbres de la pelouse ! Un livre tel que celui que vous avez entre les mains, et qui vous fera passer, j'en suis sûre, un excellent moment…

Très bonne lecture, et rendez-vous à la rentrée !

La responsable de collection

Une incroyable proposition

HELEN BIANCHIN

Une incroyable proposition

COLLECTION AZUR

éditions **Harlequin**

Cet ouvrage a été publié en langue anglaise
sous le titre :
THE SPANIARD'S BABY BARGAIN

Traduction française de
CHARLOTTE MEIRA

HARLEQUIN®

est une marque déposée du Groupe Harlequin
et Azur ® est une marque déposée d'Harlequin S.A.

© 2004, Helen Bianchin. © 2005, Traduction française : Harlequin S.A.
83-85, boulevard Vincent-Auriol, 75013 PARIS — Tél. : 01 42 16 63 63
Service Lectrices — Tél. : 01 45 82 47 47
ISBN 2-280-20415-0 — ISSN 0993-4448

1.

Manolo régla à la hâte la course du taxi, saisit sa valise et gravit les marches de sa maison. Cette demeure cossue, située dans la banlieue huppée de Point Piper à Sydney, offrait une vue magnifique sur le port. D'ordinaire, il aimait à contempler quelques secondes ce somptueux panorama avant de rentrer chez lui.

Ce soir-là cependant, il ne prit pas le temps d'admirer les tons bleus et or de la célèbre baie. Ses pensées étaient ailleurs.

La porte d'entrée s'ouvrit avant même qu'il ait eu le temps de sortir ses clés.

— Bonsoir, Manolo. Soyez le bienvenu chez vous !

Le bienvenu ? songea-t-il avec dérision. La formule avait de quoi faire sourire ! Sa maison était sens dessus dessous : la nurse — la troisième en quelques mois — était sur le point de rendre son tablier et, dans moins d'une heure, une journaliste et son cameraman arrivaient pour le week-end, dans l'intention de réaliser un reportage à son sujet !

— Bonjour Santos, marmonna-t-il en pénétrant dans le vaste hall.

Puis, adressant un regard las à son majordome, un ancien chef cuisinier qui lui était fidèle depuis des années, il demanda :

— Que s'est-il passé cette fois-ci ?

— La petite Christina fait ses dents, se contenta de répondre son fidèle serviteur. La nurse est excédée. Elle se plaint du manque de sommeil.

— Où est-elle ? s'enquit Manolo en soupirant.

— Elle fait ses bagages.

— Lui avez-vous trouvé une remplaçante ?

— J'ai essayé. Malheureusement, la directrice de l'agence de placement m'a expliqué qu'elle n'avait personne à nous proposer avant une semaine.

— Bon sang !

— Comme vous dites !

Manolo resta songeur quelques instants. Il allait trouver une solution, il n'avait guère le choix.

— Vous en avez parlé à Maria ?

La femme de ménage venait cinq jours par semaine, mais elle partait tous les jours à 16 heures pour s'occuper de ses propres enfants.

— Vous la connaissez, elle est prête à faire quelques heures supplémentaires.

— C'est mieux que rien, répondit Manolo. A propos, des messages ?

— J'ai déposé votre courrier à la place habituelle. Le dîner sera servi dans une demi-heure.

Ce qui signifiait qu'il avait à peine le temps de se doucher, de se changer et de prendre son repas avant l'arrivée de l'équipe de télévision. Mais, avant toute chose, il devait voir sa fille et discuter avec la nurse.

La perspective de recevoir une équipe de journalistes chez lui était loin de l'enchanter. Il descendait à peine de l'avion — un vol long courrier bien sûr — et ne se sentait pas d'humeur à badiner avec des professionnels des médias.

Qu'est-ce qui lui avait pris d'accepter ce maudit reportage ? En temps normal, il aurait refusé, mais il souhaitait présenter une œuvre caritative qui lui tenait à cœur. Et puis, Ariane Celeste, la journaliste en charge du documentaire, l'intriguait. Cette jolie blonde, qui approchait de la trentaine, ne manquait pas de talent et il était curieux de découvrir ses méthodes de travail.

La nurse apparut alors en haut de l'escalier, son bagage à la main. Il la regarda descendre sans bouger. Elle était jeune, trop jeune, s'avisa-t-il comme elle arrivait à son niveau.

S'efforçant de sourire, il s'enquit :

— J'ai cru comprendre que vous nous quittiez ?

— Oui.

— Nous n'avons personne pour vous remplacer. Seriez-vous prête à rester une semaine de plus ? Je vous verserai une prime, bien entendu.

— Non.

La réponse avait fusé, nette et tranchante.

Manolo aurait pu lui rappeler que la loi l'obligeait à donner un préavis, mais il se tut. Pour rien au monde il ne voulait laisser Christina aux mains d'une nounou hostile.

— Bien. Dans ce cas, Santos va vous appeler un taxi. J'enverrai votre chèque à l'agence.

— Merci.

Le ton de la jeune femme frisait la grossièreté. Santos fronça les sourcils d'un air réprobateur, puis se dirigea d'un pas vif vers le téléphone. Manolo haussa les épaules puis monta à l'étage.

En posant les pieds sur la dernière marche, il reconnut le son déchirant des pleurs de sa fille. Les cris de la pauvre enfant gagnèrent en intensité à mesure qu'il approchait de la nurserie.

Lorsqu'il se pencha sur le berceau, le bébé était rouge de colère et sa chevelure sombre était trempée. Ses petites jambes s'agitaient de toutes leurs forces, comme si elles livraient un combat désespéré.

— Là, ma chérie… Calme-toi mon ange, papa est rentré, dit-il en caressant le bras de l'enfant.

Les sanglots redoublèrent.

— Viens, petite, murmura-t-il en soulevant Christina.

Sa fille…, songea-t-il en la berçant tendrement. Il préférait oublier que la fillette était aussi l'enfant de son ex-épouse… une femme qui avait été prête à tout pour porter son nom. Elle était d'ailleurs parvenue à ses fins en s'arrangeant pour tomber enceinte.

Lorsque Manolo avait compris les motivations de sa compagne, l'idée que Christina puisse pâtir de cette situation lui avait paru insupportable. Dès que le test ADN avait établi sa paternité, il avait demandé le divorce et la garde de l'enfant. En échange d'une importante somme d'argent, Yvonne lui avait laissé la petite fille. Le détachement que son ex-épouse avait affiché à ce moment-là avait glacé Manolo. Aujourd'hui encore, il ne pouvait y repenser sans ressentir un violent dégoût.

Mais Yvonne n'avait pas profité de sa liberté bien longtemps. Un mois à peine après la naissance de Christina, alors que Manolo se trouvait à New York pour affaires, il avait appris que la mère de son enfant venait de périr dans un accident de voiture. Le drame s'était produit après une soirée bien arrosée, et l'homme qui l'accompagnait avait subi le même sort tragique.

Il avait pris le premier vol pour Sydney afin de mettre à jour quelques papiers et faire taire les rumeurs que la presse à scandale commençait à répandre au sujet de cette tragédie.

Suite à ce drame, la nurse de Christina — la première d'une longue série — avait donné sa démission. Depuis, il en avait employé quatre autres. Quatre en cinq mois !

Les cris de Christina redoublèrent, comme pour le rappeler à son devoir.

— Tu as faim, *pequeña* ?

En ouvrant la porte du réfrigérateur de la nurserie, il découvrit avec soulagement un biberon tout prêt. Il le réchauffa quelques secondes au micro-ondes et s'installa dans un fauteuil à bascule pour nourrir sa fille. L'enfant happa la tétine avec fougue et se mit à boire goulûment. « Il était temps », songea Manolo en soupirant.

— Vous avez besoin d'aide ?

Levant les yeux, Manolo croisa le regard de Santos qui venait d'entrer dans la pièce.

— Je me débrouille comme je peux, marmonna-t-il.

Les deux hommes, qui étaient liés de longue date, se vouaient une confiance absolue. Tous deux avaient grandi dans les quartiers difficiles de New York et chacun avait appris à se battre pour survivre. Manolo n'était pas particulièrement fier de sa jeunesse, mais n'éprouvait pas la moindre honte à ce sujet. Grâce à sa seule force de caractère, il avait rapidement gravi les échelons de la réussite.

Durant des années, il avait travaillé dur pour payer ses études. Dans tous les domaines, il avait rapidement excellé. A l'âge de vingt-cinq ans, il était devenu millionnaire. A présent sa fortune se comptait en centaines de millions.

Il était puissant et redouté dans le monde des affaires. Ceux qui avaient essayé de lui mettre des bâtons dans les roues en avaient payé le prix. Jusqu'à la naissance de sa fille, le travail avait accaparé ses pensées. Depuis l'arrivée de Christina dans sa vie, il savait ce que signifiait le mot « aimer », mais d'aussi loin que remontaient ses souvenirs, il n'était jamais tombé amoureux.

Manolo jeta un coup d'œil à sa montre en esquissant une grimace.

— J'ai un quart d'heure pour me doucher, me raser et dîner. Je serai en retard.

— Ne vous inquiétez pas, répondit Santos d'une voix posée. Je me chargerai d'accueillir les journalistes à votre place. Je leur offrirai un verre, puis leur montrerai leurs chambres. Ça devrait vous laisser le temps de vous préparer.

En arrivant devant la propriété de Manolo del Guardo, Ariane fut frappée par l'imposant dispositif de sécurité qui protégeait la demeure. Un homme si riche et si célèbre ne pouvait certainement pas se permettre de faire l'économie d'une protection digne de ce nom, mais les deux caméras de surveillance, et la hauteur du double portail en fer forgé avaient de quoi impressionner.

— Bon sang, ce type est un Rockefeller ou quoi ? s'exclama Tony, son cameraman.

— C'est à peu près ça, oui, répondit Ariane qui se sentait un peu intimidée.

— Te connaissant, je parie que tu as étudié sa biographie de A à Z ?

— On ne peut rien te cacher ! répliqua-t-elle en souriant. Avant d'interviewer quelqu'un, j'aime bien savoir à qui je m'adresse.

En fait, Ariane avait constitué tout un dossier sur Manolo del Guardo et la plupart de ses questions étaient déjà prêtes. Son petit doigt lui disait que certaines risquaient de lui valoir des réponses enflammées.

Mais c'était, à ses yeux, tout l'intérêt des interviews de ce genre. Une journaliste devait savoir creuser sous la surface des apparences pour révéler la véritable personnalité de celui qu'elle questionnait.

— Prêt, Tony ? demanda-t-elle en adressant un clin d'œil à son coéquipier.

— A ton service, répondit gaiement ce dernier en sortant du véhicule.

Ariane le regarda sonner à la grille et présenter sa carte professionnelle à la caméra de surveillance. « C'est un vrai bunker, ici ! », ne put-elle s'empêcher de penser.

— Ça y est, déclara Tony en remontant dans la voiture, j'ai montré patte blanche. Allons-y !

Le portail s'ouvrit lentement pour les laisser passer, découvrant un parc magnifique. L'allée principale était bordée de rosiers écarlates et, dans la lumière caressante de cette fin de journée, chaque fleur semblait flotter dans un halo doré.

— Quelle merveille ! murmura-t-elle en souriant.

En préparant son reportage, elle avait appris que Manolo del Guardo avait acheté cette demeure pour la vue d'exception qu'elle offrait sur la baie de Sydney. La maison, de style napoléonien, était une véritable merveille architecturale. Son propriétaire avait, paraît-il, supervisé lui-même les travaux de rénovation. Le résultat était à couper le souffle. Ariane aurait donné cher pour filmer ce château, mais le contrat stipulait très clairement qu'elle n'avait pas le droit de prendre des photos en extérieur. Elle avait juste l'autorisation de photographier la vue de l'intérieur, à condition de soumettre chaque cliché à Manolo del Guardo.

— A ton avis, où suis-je censé me garer ? s'enquit Tony.

A cet instant, la porte de la maison s'ouvrit et un majordome descendit les marches du perron pour les accueillir.

— Bonsoir, déclara ce dernier. Je m'appelle Santos. Si vous voulez bien avancer votre voiture jusqu'à l'entrée de service, de l'autre côté de la maison, je vous retrouverai là-bas.

Sans ajouter un mot, il tourna les talons et rentra dans la maison.

— C'est ce que j'appelle remettre les gens à leur place, commenta Tony en esquissant un rictus désapprobateur.

Quelques minutes plus tard, lorsqu'ils eurent déposé leur matériel, Santos les pria de le suivre.

— Je vais vous montrer vos chambres.

En traversant les vastes pièces de la demeure de Manolo del Guardo, Ariane put admirer la magnificence des lieux. Le sol en marbre crème était recouvert de précieux tapis persans. Divers objets d'art, vases, statues ou bibelots anciens ornaient corridors et galeries. Et un œil aussi averti que celui d'Ariane pouvait apprécier la beauté des tableaux de maîtres suspendus aux murs.

L'escalier qui menait au premier étage était une œuvre d'art en lui-même. La blancheur marmoréenne des marches attirait les rayons de soleil, que filtrait une immense verrière ouvragée. La rampe en fer forgé, étonnamment simple et épurée dans son dessin, était d'un raffinement exquis.

Le maître des lieux avait très bon goût, songea Ariane. A moins qu'il n'ait fait appel à un décorateur ?

— M. del Guardo vous recevra dans le petit salon dans un quart d'heure, déclara le majordome en ouvrant une porte. Voici votre chambre, madame.

Une chambre ? Le mot « appartement » aurait davantage convenu ! pensa Ariane en entrant dans la pièce qui n'avait rien à envier aux suites des plus luxueux hôtels de la ville.

Santos montra ses « quartiers » à Tony et s'esquiva rapidement.

— Bon sang ! s'exclama le cameraman lorsque le majordome se fut éloigné. Je n'ai jamais vu un tel étalage de fric de ma vie ! C'est dément, non ?

— Pour tout te dire, je ne sais pas comment il s'est débrouillé pour gagner autant d'argent en si peu de temps. Et j'aimerais bien le découvrir.

— Tu as l'intention d'aborder le sujet dans ton reportage ? fit Tony.

14

— Si j'y arrive ! Ecoute, nous avons une dizaine de minutes devant nous et j'aimerais bien poser mes affaires. On se retrouve dans le couloir ?

Seule dans sa chambre, Ariane posa son mince bagage. Puis, elle se regarda dans le miroir. Ses cheveux étaient bien coiffés et son rouge à lèvres, à peine plus rosé que ses lèvres, était encore visible. Inutile de se rafraîchir.

En entendant son téléphone portable vibrer, elle ressentit une profonde irritation. Elle saisit l'appareil et vit s'afficher un numéro qui ne figurait pas dans son répertoire. Comme son avocat le lui avait récemment conseillé, elle ne décrocha pas. L'homme qui la harcelait quotidiennement de ses appels avait bel et bien réussi à faire de sa vie un enfer.

Et dire qu'elle avait été mariée à cet individu !

Lorsqu'il lui avait fait la cour, il avait réussi à lui cacher ses penchants psychotiques. Elle n'avait commencé à découvrir sa véritable personnalité qu'au cours de leur voyage de noces.

Tout comme elle, Roger désirait avoir un enfant. Voyant que leurs tentatives s'avéraient vaines, il lui avait d'abord reproché de s'être « bloquée » psychologiquement, puis il l'avait suspectée d'être stérile. Ariane s'était alors résolue à consulter un médecin spécialisé dans les troubles de la fertilité qui, après l'avoir soumise à une série d'examens, avait malheureusement confirmé l'hypothèse de son mari.

Lorsqu'elle avait fait part de ce diagnostic à Roger, celui-ci était entré dans une rage terrible. Il avait tout cassé chez eux, en lui assénant les pires insultes. Horrifiée, elle l'avait quitté sur-le-champ.

En entamant la procédure de divorce, elle n'avait pas imaginé qu'il lui mettrait autant de bâtons dans les roues. Hélas, elle s'était rapidement rendu compte que son ex-mari était prêt à tout pour lui rendre la vie impossible.

En l'espace de quelques semaines, son existence était devenue un véritable cauchemar. Les confrontations se suivaient, plus douloureuses les unes que les autres. Et lorsqu'elle rentrait chez elle, excédée et découragée, c'était pour subir les appels incessants de Roger.

Lorsque le divorce avait enfin été prononcé, elle avait espéré que tout cela cesserait, mais les coups de fil avaient continué.

A plusieurs reprises déjà, elle avait changé de numéro de téléphone portable en s'inscrivant sur liste rouge, mais chaque fois son ex-époux avait réussi à se procurer ses nouvelles coordonnées.

Cette fois-ci, le message écrit était bref. Cependant, elle ne put s'empêcher de frissonner en le lisant. Il savait où elle était, avec qui et pour quelle durée.

Comment était-ce possible ? se demanda-t-elle avec angoisse. La réponse s'imposa d'elle-même. Roger avait plus d'une corde à son arc ; il avait certainement trouvé un moyen de s'introduire dans les bureaux de la chaîne de télévision pour consulter son emploi du temps.

Oh oui, il en était tout à fait capable !

— Tu es prête ?

La voix de Tony, de l'autre côté de la porte, l'arracha à ses sombres pensées.

— Oui, répondit-elle en s'efforçant de mettre un sourire dans sa voix. J'arrive !

« Concentre-toi à présent ! » s'ordonna-t-elle en descendant les marches du grand escalier.

Lorsqu'ils entrèrent dans le petit salon, Manolo del Guardo se leva pour les accueillir.

Ariane avait vu sa photo dans des magazines à maintes reprises ; sa biographie officielle n'avait plus de secret pour elle et quelques détails plus officieux étaient même parvenus à ses oreilles.

Malgré cela, rien n'aurait pu la préparer à la rencontre avec cet homme…

Grand et athlétique, il semblait avoir été bâti dans le roc. Très élégant, sans apprêts excessifs, il était vêtu d'un pantalon noir et d'une chemise assortie. Ses cheveux sombres, son regard noir et son noble visage, dont les traits semblaient avoir été taillés à la serpe, rappelaient ses origines espagnoles.

Cet homme était indiscutablement séduisant — *très* séduisant — mais il dégageait, de plus, une aura indéfinissable. Un mélange de force, de courage et de dureté que tempérait à peine la douceur de sa voix chaude. A l'évidence, Manolo del Guardo avait construit une barrière autour de lui et ne semblait guère disposé à laisser quiconque la franchir.

Lorsqu'il avança pour lui serrer la main, Ariane sentit un léger frisson lui parcourir le dos.

— Ariane Celeste, déclara-t-elle, bien décidée à parler la première. Et voici Tony di Marco, mon cameraman.

La poignée de main de Manolo del Guardo fut brève, ferme, mais enveloppante. Sans trop comprendre pourquoi, Ariane se sentit étrangement troublée. Peu habituée à perdre ses moyens, elle s'efforça de reprendre le dessus et afficha presque aussitôt un sourire professionnel.

— Je voudrais vous remercier de nous avoir invités chez vous, monsieur, dit-elle avec courtoisie.

Son hôte arqua un sourcil, l'air vaguement ironique.

— Je vous rappelle que c'était votre idée, répondit-il avec l'ombre d'un sourire.

Il avait l'accent new-yorkais. D'après le dossier d'Ariane, Manolo del Guardo avait été élevé dans le Bronx par une mère célibataire. Celle-ci était morte d'un cancer, le laissant seul au monde à l'âge de quinze ans.

Son incroyable ascension était légendaire. A trente ans, il avait bâti un véritable empire financier et possédait des succursales dans les plus grandes capitales. Depuis cinq ans, il avait décidé de s'installer à Sydney d'où il dirigeait ses sociétés d'une main de maître. Mais ce n'était pas tout. Manolo del Guardo était également un philanthrope qui soutenait généreusement plusieurs causes humanitaires.

— C'était peut-être mon idée, reprit Ariane sans se laisser démonter, mais vous avez donné votre accord.

— A certaines conditions, si vous vous souvenez bien.

— Bien sûr et j'ai bien l'intention de respecter les termes de notre contrat.

Manolo del Guardo acquiesça silencieusement tout en leur désignant deux fauteuils en cuir.

— Je vous en prie, asseyez-vous. Puis-je vous offrir quelque chose à boire ? Un alcool ? Du thé ? Du café ?

— Pour moi, ce sera un café noir, répondit Ariane en souriant.

— La même chose pour moi, s'il vous plaît, renchérit Tony.

— Un choix bien sage, commenta leur hôte en regardant Ariane du coin de l'œil.

— Je réserve l'alcool pour demain soir, répliqua-t-elle sur un ton badin. J'en aurai peut-être besoin.

— Pourquoi dites-vous cela ? Vous craignez que je vous donne du fil à retordre ?

Cet homme était décidément très fin, songea Ariane. Et manifestement sur ses gardes.

— Je n'ai pas dit cela, corrigea-t-elle en secouant doucement la tête. Mon objectif est simple : ce reportage doit retracer votre parcours professionnel et permettre de comprendre l'homme que vous êtes devenu aujourd'hui.

— Je sais, je sais, coupa Manolo del Guardo. Vous avez trente minutes pour retracer l'histoire de toute une vie. Et dire que pour un si petit reportage vous allez rester vingt-quatre heures chez moi !

Ariane ne se laissa pas déstabiliser par cette pique. Après tout, elle ne manquait pas d'esprit de repartie quand il le fallait.

— A vrai dire, j'espérais boucler le tout en douze heures.

Leur hôte leur servit le café sans relever cette dernière remarque.

— Ariane, j'aimerais jeter un coup d'œil aux questions que vous comptez me poser.

En l'entendant prononcer son prénom, Ariane sentit les battements de son cœur s'accélérer imperceptiblement. « Ressaisis-toi », s'ordonna-t-elle. Affectant le plus grand calme, elle sortit une pochette de son attaché-case et la présenta à Manolo del Guardo.

— Je préférerais que vous m'en parliez de vive voix, Ariane, dit-il en plantant son regard dans le sien.

Une fois de plus, elle sentit un délicieux trouble l'étreindre. La première fois n'était donc pas un « accident » : il avait bel et bien décidé de l'appeler par son prénom. Mais comment réagirait-il si elle se permettait d'en faire autant ? Pour le savoir, il n'y avait pas trente-six solutions.

« Allez courage, toi aussi tu sais jouer à ces petits jeux-là ! », se dit-elle avant de prendre la parole.

— Vous préférez que l'on s'appelle par nos prénoms ? s'enquit-elle avec une légèreté affectée.

Son hôte haussa les épaules.

— Cela me semble préférable. On travaillera dans une atmosphère plus détendue, non ?

Détendue ! Ça ne risquait pas, songea Ariane avec ironie.

— Très bien, déclara-t-elle en souriant. Pour en revenir à votre requête, Manolo...

Elle s'était forcée à l'appeler par son prénom pour reprendre le contrôle de la situation, mais cela ne lui semblait pas naturel du tout.

— Je vous écoute, coupa-t-il, un petit sourire au coin des lèvres.

— Je croyais que vous aviez déjà lu notre projet concernant le reportage. Néanmoins, si vous souhaitez que j'en retrace les grandes lignes, ce sera avec plaisir.

Comme Manolo acquiesçait, elle résuma ses intentions avec professionnalisme. Le tout en quelques minutes.

— J'espère avoir été claire, dit-elle en guise de conclusion.

— Ça ira pour le moment, répondit-il en se levant. A présent, si vous voulez bien m'excuser, j'ai beaucoup de choses à faire. Resservez-vous en café, si vous le souhaitez. Vous pouvez également regarder la télévision dans la pièce qui jouxte celle-ci. Il y a le câble et toute une sélection de DVD. Santos servira le petit déjeuner à 8 heures. Bonne soirée !

Sur ces paroles, il sortit de la pièce avec l'aisance d'un homme habitué à commander et à être obéi.

— Tu veux connaître le fond de ma pensée ? s'enquit Tony dès qu'ils furent seuls.

— Je crois que je devine ce que tu t'apprêtes à dire.

— Avec ce type-là, ça ne va pas être de la tarte !

— J'en ai bien peur, répondit Ariane en se resservant une tasse de café.

Cela faisait quelques années maintenant qu'elle travaillait avec Tony et tous deux avaient développé une amitié fondée sur la camaraderie et le respect mutuel.

— Est-ce que tu veux qu'on se fasse un petit briefing avant demain ? dit-il.

— Non, ce ne sera pas la peine. Mon objectif est le même que d'habitude : je veux quelque chose de pointu et d'un peu fouillé sur cet homme. Pas question de se contenter de banalités !

— Ne t'inquiète pas, la rassura le cameraman. La banalité, ce n'est pas vraiment ton genre.

Sans fausse modestie, Ariane devait reconnaître que c'était la vérité. Dans le milieu, elle avait acquis la réputation d'une journaliste capable de creuser les sujets en profondeur et de présenter les gens sous un angle inédit.

Mais, cette fois-ci, elle avait la désagréable impression que Manolo risquait de diriger l'interview à sa place.

D'un geste vif, elle reposa sa tasse de café et se redressa vivement.

— Bien, je suggère que nous nous couchions tôt ce soir, histoire d'être d'attaque demain, déclara-t-elle.

Son instinct lui disait que Manolo del Guardo lui réservait bien des surprises et qu'elle aurait besoin de tous ses esprits pour mener son reportage à bien.

Arrivés devant leurs chambres respectives, Tony lui adressa un clin d'œil complice.

— Passe une bonne nuit, ma grande. Et essaie de te détendre un peu, je suis sûr que tout va très bien se passer.

Une fois dans sa chambre, Ariane résolut de prendre une douche. La chaleur du jet lui fit le plus grand bien, mais en sortant de la cabine, elle dut reconnaître qu'elle se sentait toujours angoissée à l'idée de la journée qui l'attendait le lendemain.

Dans son lit, elle révisa une ultime fois ses notes avant d'éteindre la lumière. Elle avait espéré trouver rapidement le sommeil mais, dans la pénombre, le visage de Manolo del Guardo lui revint à la mémoire. Bien malgré elle, elle revit sa silhouette puissante et athlétique, ses traits réguliers, son regard sombre et sa bouche sensuelle. A plus d'une reprise, elle s'était sentie troublée en sa présence — *physiquement* troublée.

« N'y pense plus et dors ! », se sermonna-t-elle en soupirant.

Après s'être retournée plusieurs fois, elle finit par enfin trouver le sommeil.

2.

Ariane s'éveilla en sueur, terrifiée par un cauchemar qu'elle venait de faire. Elle se souvint d'avoir entendu les cris lointains d'un bébé, mais se demandait si ces pleurs faisaient partie de son rêve ou non.

Après avoir jeté un coup d'œil à son réveil, elle décida de prendre une douche et de s'habiller. Il était encore tôt, mais ainsi elle aurait le temps de consulter sereinement ses notes sur le passé de Manolo del Guardo avant de descendre pour le petit déjeuner.

Dans la salle à manger, son couvert l'attendait. On avait pris soin de tenir la cafetière au chaud. Une carafe d'oranges pressées, un petit panier rempli de viennoiseries et le journal l'attendaient également. Lorsqu'elle eut achevé son repas, elle retourna prestement à sa chambre pour se rafraîchir ; puis redescendit au petit salon, conformément à ce que Santos lui avait indiqué la veille.

Là-bas, elle retrouva Tony qui avait déjà installé tout le matériel audio et sa caméra.

— Salut ! lança-t-il en guise de bonjour. Bien dormi ?

— Oui, oui, répondit-elle sans juger utile de préciser qu'elle avait eu du mal à se reposer. Et toi, tu es d'attaque ?

— Et comment ! Je me suis levé aux aurores, j'ai fait quelques échauffements dans la salle de gym et quelques brasses dans la piscine… Une piscine d'intérieur, ma chère. Santos m'en a donné la permission.

— Je suis très impressionnée !

— Par mes prouesses sportives ? interrogea Tony avec un clin d'œil complice.

— Par tes prouesses aussi.

Ariane ponctua sa remarque d'un petit rire joyeux qui se figea sur ses lèvres lorsqu'elle entendit les vibrations de son téléphone portable.

« Pourvu que ce soit le bureau », songea-t-elle avant de lire le texto. Elle fut bien vite détrompée.

« Est-ce un bon coup, ma chérie ? »

Roger ! Il ne la laisserait donc jamais en paix ? N'avait-il rien d'autre à faire que de la harceler avec ses messages scabreux ?

Une obsession… il n'y avait guère d'autre mot pour décrire la folie qui s'était emparée de son ex-mari. Et malheureusement, il avait toujours réussi à retrouver sa piste.

Il avait l'art de faire son apparition dans sa vie quotidienne, par tous les moyens possibles. Si d'aventure elle souhaitait prendre un café avec une amie, elle le trouvait assis quelques tables plus loin. Il lui était arrivé de l'apercevoir au restaurant, au supermarché et même au cinéma. Roger ne cherchait pas à lui parler, encore moins à créer un scandale. Néanmoins il s'assurait chaque fois qu'elle était consciente de sa présence. Comme aucune parole n'était échangée, il pouvait faire passer ces rencontres pour le fruit du hasard. Et, bien entendu, elle ne pouvait pas porter plainte. Cette situation intenable la rendait folle.

— Tout va bien ? s'enquit Tony avec gentillesse.

— Un petit souci… Rien d'ingérable en tout cas.

Comme son cameraman ne semblait pas convaincu, elle lui adressa un grand sourire.

— Ne t'inquiète pas. Manolo del Guardo nous avait bien dit 9 heures, non ?

— En effet, mais j'ignorais que c'était à la seconde près.

Reconnaissant la voix chaude et timbrée de son hôte, Ariane se retourna prestement.

Adossé au chambranle de la porte, Manolo del Guardo lui adressa un regard amusé. Revêtu d'un pantalon gris anthracite et d'une chemise blanche dont il avait détaché les deux premiers boutons, il dégageait une étrange séduction, sophistiquée et animale tout à la fois.

Lorsqu'il avança pour les rejoindre, Ariane ne put s'empêcher de le regarder à la dérobée. Ses hanches étroites, sa carrure sportive et sa haute taille faisaient de lui un très bel homme, au sens classique du terme. Mais la noblesse de ses traits et ses manières raffinées laissaient, par instants, transparaître une nature plus sauvage et plus rude.

Le mélange était plutôt explosif en tout cas, jugea Ariane.

— Bonjour, déclara le nouvel arrivant. J'espère que vous avez bien dormi.

— Très bien, merci, répondit Ariane en s'efforçant de paraître la plus « professionnelle » possible.

Le trouble évident qu'elle ressentait en présence de cet homme l'agaçait au plus haut point. D'ordinaire, elle savait contrôler ses émotions, y compris devant des séducteurs avérés. Mais, cette fois-ci, elle devait bien reconnaître que ce n'était pas si simple.

Et pourtant, il lui faudrait surmonter cette attirance pour mener à bien la tâche qu'elle s'était assignée. « Jusqu'à présent, les hommes ne t'ont pas réussi. Et Manolo n'est certainement pas le plus tendre d'entre eux », se sermonna-t-elle. Revigorée par cette pensée, elle se tourna vers son hôte.

— Tony est en train de vérifier le son, annonça-t-elle. Si vous voulez que l'on se mette d'accord sur tel ou tel point, c'est le moment.

— J'ai l'habitude des interviews, se contenta de répondre Manolo.

— Oui, bien sûr. Bon, comme vous le savez, j'ai l'intention de mettre l'accent sur trois points majeurs : votre milieu d'origine, votre ascension dans le monde des affaires et votre engagement dans des œuvres de charité. J'espère donner un ton… euh… personnel à cet entretien.

En prononçant ces paroles, qu'elle sentait quelque peu maladroites, Ariane était parfaitement consciente qu'il s'agissait d'une gageure. Manifestement, cet homme n'était pas du genre à se livrer. Il était donc inutile d'attendre des révélations fracassantes de sa part.

— Et si nous commencions ? suggéra-t-elle.

— Allons-y, répondit-il en posant sur elle des yeux perçants.

Elle soutint ce regard et ne put s'empêcher d'admirer une nouvelle fois les traits de Manolo. Un peu trop longtemps sans doute car celui-ci, certainement conscient qu'elle n'était plus totalement présente, lui demanda :

— On dirait que quelque chose vous gêne ?

« Oui, vous », fut-elle tentée de répondre, mais au lieu de cela elle répliqua :

— Je pensais que ce serait peut-être une bonne idée de vous maquiller légèrement.

— Non.

La réponse, quoique douce, était sans appel.

— Je pensais à un simple nuage de poudre. Comprenez-moi, c'est simplement pour accrocher la lumière des projecteurs… C'est la procédure habituelle.

— Eh bien, vous devrez vous en passer cette fois-ci.— A votre guise. Euh… pour les questions, le plus commode serait sans doute de vous asseoir.

— Et si je préfère rester debout ?

A l'évidence, il n'avait pas l'intention de lui faciliter la tâche, songea-t-elle avec irritation.

— Monsieur…, commença-t-elle.

— Je croyais que nous nous appellerions par nos prénoms ?

— Manolo…, concéda-t-elle en se forçant à sourire.

— *Gracias.*

Un peu décontenancée par le petit jeu de son interlocuteur, Ariane garda le silence quelques instants. Tony se chargea heureusement de meubler ce blanc.

— Je dois accrocher votre micro, déclara-t-il avec bonne humeur.

Lorsqu'ils furent tous deux équipés, Ariane reprit la parole :

— J'aimerais beaucoup que cette interview ne ressemble pas à une interview.

— Que voulez-vous dire ?

— Eh bien, ce que j'ai à l'esprit, c'est plutôt une conversation, avec juste ce qu'il faut de sérieux et de décontraction. Qu'en pensez-vous ?

— Je vois…

Il n'était guère encourageant.

— Bien entendu, reprit-elle, le résultat final sera soumis à votre approbation.

— Je n'en attendais pas moins de vous, répondit-il, une lueur ironique dans le regard. Une petite précision toutefois…

— Oui ?

— Si vous essayez vos petites ruses de journaliste avec moi, vous n'obtiendrez qu'un silence de marbre.

— Touché ! répondit-elle en essayant de parer cette pique par une touche d'humour.

Une heure plus tard, elle n'avait en effet rien obtenu de Manolo del Guardo, du moins rien de plus que ce qu'elle avait pu lire dans sa biographie officielle. L'heure tournait, elle devait redoubler ses efforts.

— J'aimerais que vous me parliez de votre enfance dans le Bronx, déclara-t-elle tout à trac.

— Vous voulez que je vous brosse un tableau rapide ? répondit-il avec une pointe d'agressivité. Que je vous parle des gangs, de la pauvreté, de la violence ? Qu'attendez-vous au juste ?

— J'imagine que ça devait être très dur.

— L'essentiel était de survivre, voyez-vous, répliqua-t-il, avec un semblant de moquerie dans la voix.

— Vous pouvez nous en dire un peu plus ?

— Je ne vois pas l'intérêt de nous appesantir sur ma jeunesse.

Cette fois-ci, Ariane était bien décidée à ne pas abandonner la partie.

— C'est de l'autoprotection ou un besoin d'enterrer votre passé ? demanda-t-elle, surprise par sa propre audace.

Manolo ne cilla pas, mais elle eut la nette impression que chaque muscle de son corps s'était tendu. Dans la pièce, le silence était quasiment palpable. Ariane retint son souffle, prête à affronter la colère de son interlocuteur.

Mais rien ne se passa. Del Guardo possédait manifestement une maîtrise de soi peu commune.

Au bout de quelques instants, il se leva. A l'expression de son visage, Ariane comprit qu'il pensait à tout autre chose. C'est alors qu'elle entendit le son étouffé des pleurs d'un bébé qui s'échappait d'un moniteur posé non loin.

— Si vous voulez bien m'excuser, il faut que je m'absente, déclara Manolo.

28

Lorsqu'il ouvrit la porte du petit salon, les cris de l'enfant se firent plus nets. Ariane fut frappée par la détresse et la rage qu'exprimaient ces pleurs.

Sans trop savoir pourquoi, elle suivit discrètement Manolo jusqu'à la chambre de l'enfant.

Arrivée devant la porte qu'il n'avait pas fermée, elle s'immobilisa, intimidée et vaguement consciente de ne pas être à sa place. En le voyant tenir le nourrisson dans ses bras, elle sentit son cœur se serrer.

Au bout de quelques instants, il tourna la tête et l'aperçut. La dureté du regard qu'il lui lança la tétanisa.

— Ici, vous n'êtes pas la bienvenue, dit-il d'une voix glaciale.

Les cris de la fillette redoublèrent d'intensité et Ariane dut se retenir pour ne pas aller la prendre dans ses bras.

— Il n'y a pas la caméra, fit-elle valoir en avançant de quelques pas.

La destinée tragique de l'épouse de Manolo del Guardo et l'existence de sa fille étaient connues de tous, mais aucune photographie de l'enfant n'avait jamais été publiée dans la presse.

Cette dernière poussait à présent des cris à fendre l'âme : longs, stridents, entrecoupés de sanglots. Ses petites jambes se débattaient dans le vide et son visage était congestionné de rage.

— Elle a mal au ventre, ne put s'empêcher de faire remarquer Ariane.

— Puis-je savoir comment vous le savez ? demanda Manolo, agressif.

Pour un peu, elle l'aurait vertement remis à sa place, mais elle se contenta de dire en soupirant :

— Bon, je vous propose de reprendre l'interview plus tard, lorsque sa nounou prendra la relève.

— Ce sera difficile, étant donné que sa dernière nurse nous a quittés hier et que la prochaine n'arrivera pas avant la semaine prochaine.

— Je suis désolée pour vous.

— Je vous propose de continuer après le déjeuner. Vers 14 heures, ça vous convient ?

— Très bien, répondit Ariane avant de s'éclipser.

Dans le petit salon, elle trouva Tony en train de visualiser l'enregistrement du matin.

— On fait une pause ? s'enquit-il.

— Oui. On reprend à 14 heures, répondit-elle. Alors, qu'as-tu pensé de l'interview de ce matin ?

— Pour le moment, il est de marbre.

— Tu crois qu'il ne nous donnera rien de plus ?

— Ça m'étonnerait. Tu veux voir ce que ça donne sur la bobine ?

— Bonne idée, montre-moi.

Ariane regarda la vidéo d'un œil critique et prit quelques notes en vue de la suite. Puis, comme le déjeuner ne devait être servi qu'une heure et demie plus tard, elle décida de prendre l'air.

— Tu ne préférerais pas te défouler sur le punching-ball de la salle de gym ? proposa Tony en riant.

— J'y songerai peut-être à la fin de la journée, encore que le kickboxing soit plus à mon goût. Tu pourras te joindre à moi si tu veux.

— Non merci, ma grande, je ne suis pas masochiste.

— Poule mouillée va ! le taquina-t-elle. Si ça se trouve, je t'aurais laissé gagner.

— Au lieu de te moquer de moi, va humer le doux parfum des roses. Ça te fera le plus grand bien.

— Et toi, que vas-tu faire ?

— Oh, je vais me préparer psychologiquement au pugilat de cet après-midi !

Après avoir échangé quelques plaisanteries supplémentaires avec Tony, Ariane sortit.

Le parc était beaucoup plus grand qu'elle ne l'avait imaginé. Une vaste fontaine trônait au milieu d'une cour ensoleillée, parsemée de graviers. De nombreuses allées verdoyantes partaient de ce centre lumineux, comme les rayons d'un soleil. Des fleurs multicolores s'épanouissaient le long des buissons, parfumant l'air de leurs délicats arômes. Plus loin, au sommet d'une petite colline, Ariane aperçut un kiosque savamment ouvragé.

« Un vrai paradis terrestre », songea-t-elle en se laissant gagner par la beauté du lieu. Manolo del Guardo avait-il choisi ce cadre somptueux par goût, ou plus simplement parce que ce jardin de luxe convenait à son statut d'homme d'affaires richissime ?

Et qu'en était-il de sa demeure ? Avait-il lui-même décidé de la décoration ou s'était-il contenté de laisser carte blanche à une équipe de décorateurs ?

La sonnerie de son téléphone portable l'arracha à sa réflexion. Un appel venait d'être enregistré sur sa boîte vocale. Avec angoisse, elle consulta sa messagerie et constata que Roger lui avait déjà laissé trois messages. Un profond dégoût l'envahit lorsqu'elle entendit le son de sa voix. Une fois de plus, il se montrait grossier et vulgaire.

« Ignore-le ! », s'ordonna-t-elle. Mais il lui semblait bien difficile de passer outre. Son ex-mari utilisait rarement le même numéro pour l'appeler ; il utilisait différentes cartes SIM ou appelait d'une cabine pour tromper sa vigilance et l'atteindre. Bien entendu, elle n'écoutait jamais les messages jusqu'au bout mais, en dépit de cela, Roger atteignait chaque fois son but : l'effrayer.

A cause de lui, elle avait décidé de suivre des cours d'arts martiaux. Elle avait ainsi acquis une certaine maîtrise d'elle-même et la certitude d'être capable de se défendre si jamais on l'attaquait un jour.

Rageusement, elle rangea son téléphone portable dans son sac à main et tâcha de fixer son attention sur le merveilleux paysage qui l'entourait. C'était une belle journée d'été. Quelques nuages moutonnaient çà et là dans le ciel azuré, comme pour l'adoucir. Le soleil lui caressait la peau de sa douce tiédeur et l'atmosphère irradiait de lumière.

Rêveuse, elle huma le parfum suave et sucré d'une rose qui s'échappait d'un buisson écarlate. Les yeux mi-clos, elle profita de cet instant de sérénité parfaite pour vider son esprit.

Lorsqu'elle rentra finalement pour déjeuner avec Tony, elle se sentait apaisée. Dans la salle à manger, où le couvert avait été dressé pour deux, ils dégustèrent un repas simple et raffiné : du melon accompagné de jambon de Parme, des escalopes de veau exquises et une salade de fruits du verger.

Après avoir dégusté un café italien, elle eut tout juste le temps de regagner sa chambre pour retoucher légèrement son maquillage.

L'interview devait reprendre.

Peu avant 14 heures, elle entra dans le petit salon où Tony l'attendait déjà. Ouvrant son bloc, elle passa rapidement en revue les questions qu'elle avait l'intention de poser à Manolo dans l'après-midi.

Ce dernier fit son apparition quelques minutes plus tard. Il était vêtu de la même façon que le matin, mais Ariane eut l'impression qu'il avait changé de chemise ; celle-ci était aussi blanche que la précédente, mais le tissu lui semblait légèrement différent. C'était un détail, certes, mais elle l'avait remarqué. Aurait-elle été si attentive à la tenue vestimentaire d'un autre homme ? Pour être honnête, elle devait reconnaître que non.

32

Manolo del Guardo dégageait une aura indéfinissable ; un mélange explosif de douceur et d'âpreté, de raffinement et de sensualité.

« Il est grand temps de se ressaisir », se morigéna Ariane. Pour un peu, le cours de ses pensées l'aurait fait rougir ! Or, en cet instant, il importait de paraître la plus détachée et la plus professionnelle possible.

— Bien, déclara-t-elle en souriant. Cet après-midi, j'aimerais que l'on s'intéresse à votre entrée dans l'arène des affaires.

— Vous pouvez être plus précise ? répondit-il en la fixant avec intensité.

Sans se laisser démonter, elle soutint son regard. Quelques instants auparavant, elle se sentait troublée, mais désormais elle était prête à batailler pour cette interview.

— Je pensais aux premiers obstacles que vous avez trouvés sur votre route, à la hargne qui vous a porté pour réussir, commença-t-elle.

Comme il fronçait les sourcils, elle ajouta :

— Bien sûr, ce ne sont que les grandes lignes. Après tout, c'est aussi à vous de me donner les précisions nécessaires. Tout n'est pas écrit à l'avance. A mon avis, une interview est réussie quand l'intervieweur et l'interviewé sont surpris par le résultat final.

— Agréablement surpris ?

— C'est préférable, repartit-elle en essayant de rire.

Manolo embrassa la silhouette de la jeune femme du regard et, une fois de plus, admira sa beauté. Ariane était dotée d'une grâce singulière. Etait-ce la blondeur de sa chevelure et ses yeux noisette parsemés d'éclats verts qui agissaient sur lui ? Son menton gracieux et volontaire ? Ou bien sa bouche délicatement ourlée ?

Quelqu'un lui avait-il déjà fait remarquer que ses iris devenaient complètement verts lorsqu'elle était en colère ? Une émotion qu'elle cachait d'ailleurs fort bien.

L'interview commença et il dut reconnaître qu'Ariane avait fait nombre de recherches à son sujet. Louant intérieurement le professionnalisme de la jeune femme, il se contenta néanmoins de lui fournir des réponses attendues.

Ce fut alors qu'elle osa une question plus abrupte.

— Dans votre folle ascension vers la réussite, avez-vous déjà commis des actions… comment dirais-je… à la limite de la légalité ? s'enquit-elle d'une voix calme.

Cela faisait des années que Manolo respectait scrupuleusement la loi mais, pendant son adolescence, il lui était arrivé d'accepter des affaires dont il n'était pas fier à présent.

— Qu'entendez-vous par là ? demanda-t-il froidement.

— Je trouve ce terme très clair. Dois-je vraiment le définir ? répondit son interlocutrice.

— Eh bien, cela peut vouloir dire beaucoup de choses et je me demande sincèrement ce que vous entendez par là.

— Vous refusez de répondre, constata-t-elle. Serait-ce un aveu ?

— Serait-ce une accusation ? rétorqua-t-il sur un ton glacial.

A ces mots, Ariane sentit une bouffée d'angoisse l'envahir. S'il le voulait, cet homme pouvait envoyer une équipe d'avocats à ses trousses. Mieux valait se montrer diplomate.

— Pas du tout, assura-t-elle en s'efforçant de sourire. J'admire simplement le fait que vous ayez réussi à amasser une telle fortune en si peu de temps.

— Dans ce cas, je le prends comme un compliment, déclara Manolo d'une voix terriblement douce.

Ariane ne se laissa pas abuser par son sourire. En cet instant, elle était prête à parier qu'il souhaitait l'étrangler. L'interview se poursuivit néanmoins quelques minutes jusqu'au moment où Manolo leur fit comprendre que d'autres obligations l'attendaient.

Lorsqu'il fut parti, elle échangea un regard complice avec Tony.

— J'ai eu chaud, dit-elle en riant nerveusement.

— Tu t'en es sortie saine et sauve, répondit le cameraman avec un clin d'œil.

Puis, il ajouta. :

— Franchement, c'était du bon travail, Ariane.

Les paroles encourageantes de son ami auraient dû lui mettre du baume au cœur, mais elle se sentait au bord du vertige. Manolo del Guardo avait mis ses nerfs à rude épreuve.

— Oui, je suppose que je devrais être satisfaite, reconnut-elle en rangeant ses papiers.

— Quel dommage que nous ne puissions boucler le tout ce soir.

— J'ai cru comprendre que notre hôte était très occupé…

— Dans ce cas, je te proposerais volontiers d'aller chercher une pizza et de choisir un DVD pour la soirée. Peut-être que Santos nous donnera la permission de faire cuire du pop-corn dans le micro-ondes !

— Tu crois vraiment qu'il y a du pop-corn, ici ? Je ne suis pas sûre que ce soit le genre de la maison, plaisanta-t-elle.

— Qui sait ? Alors, que penses-tu de mon plan ?

— Ça me va, mais, pour le moment, je n'ai envie que d'une seule chose : aller faire quelques longueurs de brasse dans la piscine. Je te retrouverai à l'heure du dîner.

— O.K., on se voit tout à l'heure.

De retour dans sa chambre pour se changer, Ariane consulta sa boîte vocale. Comme elle s'en doutait, Roger avait de nouveau appelé. Presque résignée, elle effaça les messages en soupirant profondément. Puis ; elle sortit un maillot de bain de son sac de voyage.

En entrant dans la salle de sport, quelques minutes plus tard, elle fut impressionnée par le luxe des équipements. Pour un peu, elle se serait cru dans un club de gym ! A la différence qu'elle avait l'entière jouissance des lieux.

La salle était prolongée par une immense véranda qui abritait la piscine. Autour du bassin, quelques chaises longues et une méridienne avaient été disposées. Près du bar de bois brut, un lecteur CD et une belle collection de disques offraient la possibilité de se baigner en musique. Le sol en marbre crème et la douceur de l'éclairage faisait de cette pièce un havre de sérénité.

Se glissant dans l'eau comme dans un vêtement de soie, Ariane ferma les yeux de bien-être. La journée avait été rude et elle éprouvait le besoin impérieux de se débarrasser de toutes les tensions accumulées.

Au bout de quelques longueurs, elle sentit tous les bienfaits de cet effort physique. En sortant de l'eau, une douce torpeur avait envahi ses muscles. La sensation était divine.

Après s'être douchée et changée, elle retrouva Tony dans la salle à manger où ils partagèrent un repas convivial. La soirée s'acheva au petit salon où ils regardèrent un film ensemble. Dès que le générique de fin apparut sur l'écran, elle s'arracha à la tiédeur de son fauteuil.

— Dois-je comprendre que tu n'en regarderas pas un autre ?

— Non, il est grand temps que je me couche. La journée a été longue.

Après avoir dit bonne nuit à son compagnon, elle monta dans sa chambre. Ce soir-là, elle n'eut aucun mal à trouver le sommeil.

3.

Ariane se réveilla au beau milieu de la nuit sans trop savoir ce qui l'avait arrachée au sommeil. Assise dans la pénombre, elle était à l'affût du moindre bruit.

Au bout de quelques instants, elle distingua le bruit lointain des pleurs de la fille de Manolo del Guardo. Elle se leva, ouvrit la porte de sa chambre et prêta l'oreille. A en juger par l'intensité des cris de l'enfant, celle-ci souffrait.

Elle tourna la tête et jeta un rapide coup d'œil à son réveil. Minuit. Normalement, Manolo ou Santos auraient dû accourir pour s'occuper du bébé.

Voyant que la plainte continuait, Ariane ne tergiversa plus. D'un geste vif, elle revêtit un peignoir et traversa le couloir. Le son des cris la guida jusqu'à la chambre de la petite fille.

Une faible veilleuse lui permit d'atteindre rapidement le berceau sans avoir à allumer la lumière. D'instinct, elle prit l'enfant dans ses bras.

— Pauvre petit ange, dit-elle doucement en lui caressant le dos. Qu'est-ce qui ne va pas ? Laisse-moi deviner : tu as faim ? Tu as mal ? Tu aimerais peut-être que je te change ? C'est peut-être les trois à la fois ?

Sans cesser de bercer l'enfant, Ariane fit le tour de la nurserie en cherchant des éléments de réponse. A l'âge de six mois, la petite fille réclamait-elle encore un biberon au milieu de la nuit ? Il devait y avoir un planning susceptible de l'éclaircir à ce sujet, mais elle ne le trouva pas.

— Ecoute, petite puce, dit-elle à l'enfant qui commençait à se calmer. Je vais changer ta couche.

Un léger bruit se fit entendre du côté de la porte. Tournant la tête, Ariane aperçut Santos sur le pas de la porte.

— Je l'ai entendue pleurer dans l'appareil, expliqua-t-il, visiblement embarrassé. Je suis venu aussi vite que j'ai pu.

Ariane posa délicatement l'enfant sur la table à langer et la changea d'une main experte, tout en lui parlant doucement.

— Voilà, ma jolie, murmura-t-elle. Dommage que tu ne saches pas encore parler ! Tu pourrais nous dire si tu as mal au ventre ou si une quenotte commence à percer.

— Je vais m'en charger à présent, déclara Santos.

Elle le regarda avec suspicion.

— Parce que c'est votre devoir ou parce que vous ne me croyez pas capable de m'occuper de la petite ?

— Ne croyez surtout pas cela. Je trouve, au contraire, que vous vous débrouillez très bien. La preuve : Christina ne pleure plus.

— Merci, répondit Ariane en souriant. A-t-elle l'habitude de boire un biberon la nuit ? Je n'ai pas réussi à trouver le planning de ses repas.

— J'imagine que sa dernière nurse ne tenait pas de planning, remarqua Santos en soupirant.

De toute évidence, les nurses étaient un sujet douloureux dans cette demeure, songea Ariane qui s'abstint de formuler le moindre commentaire.

— D'habitude — enfin, depuis que c'est moi qui m'en occupe —, reprit Santos, je lui donne son dernier biberon à 20 heures. En temps normal, elle dort d'une traite jusqu'à 5 heures du matin.

Mais pas cette nuit. La pauvre fillette n'avait pas de mère pour la bercer le soir venu. Quant à son père, il s'occupait à brasser des millions et la confiait à des nurses.

— Un souci, Santos ? lança tout à coup la voix virile du maître des lieux.

« Quand on parle du loup… », se dit Ariane en regardant Manolo del Guardo qui venait d'entrer dans la pièce.

— Christina a du mal à dormir, ce soir, répondit le major-dome.

Manolo jeta sa veste sur un fauteuil, desserra sa cravate et retroussa ses manches.

— Je suis désolé, dit-il. J'ai été retardé.

Ariane avait-elle rêvé ou Manolo venait-il d'interroger Santos du regard ?

— Ariane a entendu Christina pleurer et m'a devancé auprès d'elle, expliqua le majordome.

— Je vous en remercie, Ariane, déclara Manolo.

Il n'ajouta rien, mais la suite était sous-entendue : « Vous pouvez partir à présent. » C'était certainement la meilleure chose à faire, cependant pour une raison inconnue Ariane ne pouvait s'empêcher de repousser l'instant de son départ. Tenir le bébé contre son cœur était une sensation si agréable qu'elle ne souhaitait pas mettre un terme à ce moment merveilleux. Ce sentiment devait être partagé car la petite fille se mit à couiner de bien-être contre son épaule. Etrangement émue, Ariane lui caressa la joue avec tendresse.

— Je vais m'occuper de Christina à présent, dit alors Manolo en fronçant les sourcils. Je suppose qu'un biberon supplémentaire ne lui ferait pas de mal.

— C'est vrai, mais elle parviendra peut-être à se recoucher sans, répliqua Ariane, bien obligée de remettre l'enfant à son père.

Dès que la fillette fut dans les bras de celui-ci, ses pleurs recommencèrent. Il était bien difficile de résister à la tentation de reprendre Christina pour la consoler. Face au chagrin de sa fille, Manolo lui-même fut obligé de reconnaître l'évidence.

— Manifestement, la petite était mieux dans vos bras. Vous semblez avoir un don avec les enfants.

Etait-ce un compliment ? Si tel était le cas, il était aussi imprévu qu'agréable à entendre.

— Vous savez, dit-elle, je ne suis pas tout à fait novice en la matière. J'ai fait un reportage sur les enfants victimes de la guerre au Kosovo…

Elle s'arrêta. Peu de gens savaient qu'elle ne s'était pas contentée de filmer là-bas. En fait, elle avait passé le plus clair de son temps dans les hôpitaux, à aider docteurs et infirmières du mieux qu'elle le pouvait.

— J'imagine que ce devait être le chaos le plus total, répondit Manolo en hochant la tête d'un air entendu. Les médecins manquaient de tout.

— C'est vrai.

— Je sais aussi que l'on vous a proposé de repartir avec une équipe de journalistes, mais que vous avez tenu à rester quelques semaines de plus pour soigner les enfants malades. La nourriture était rationnée et vous dormiez à même le sol dans l'infirmerie quand vous en trouviez le temps.

Ariane était stupéfaite. Comment pouvait-il être au courant ? La réponse à cette question vint sans qu'elle ait besoin de la poser.

— Ne soyez pas étonnée. Je fais mener une enquête sur toutes les personnes qui entrent dans ma maison.

— Toutes ? reprit-elle avec incrédulité.

— Oui.

A l'idée que Manolo del Guardo soit susceptible de connaître un grand nombre de détails à son sujet, Ariane se sentit soudain mal à l'aise.

— Bonne nuit, décréta alors son hôte — poliment, mais fermement.

— Bonne nuit, murmura-t-elle en jetant un dernier regard à Christina.

— Et merci.

— Je vous en prie.

Pour le dernier volet de l'interview, Ariane avait suggéré la bibliothèque comme décor ou, si possible, le bureau de Manolo. En fait, elle souhaitait simplement le montrer dans le lieu où il avait coutume de travailler. Jugeant que le thème de la matinée s'y prêtait, elle avait également demandé à l'intéressé de s'habiller de manière plus formelle.

Il ne la déçut pas.

Revêtu d'un costume trois pièces anthracite, d'une chemise bleu pâle et d'une cravate de soie, il incarnait à la perfection son rôle d'homme d'affaires.

En arrivant, il s'enquit aussitôt des modalités de l'entretien.

— Si vous voulez, nous pouvons rapidement parcourir les questions que je compte vous poser pendant que Tony se charge des derniers réglages, suggéra Ariane.

Elle aurait voulu lui demander si Christina avait passé une bonne nuit, mais n'osa pas.

Tandis que Manolo parcourait des yeux ses feuillets, elle détailla le lieu du regard.

D'immenses bibliothèques de bois s'élevaient jusqu'au plafond. Le bureau trônait au centre de la pièce, avec l'attirail d'usage : ordinateur portable, imprimante et fax.

Comme la lumière entrait généreusement par les deux portes-fenêtres, il ne serait pas utile de modifier l'éclairage.

— Le mieux serait que vous vous installiez d'abord derrière votre bureau, déclara-t-elle avec douceur. Après les premières questions, vous pourrez vous lever et vous placer près de la bibliothèque.

Manolo acquiesça d'un simple signe de tête.

« Et voilà, songea Ariane, dans quelques heures à peine, tout sera terminé. » Il ne resterait qu'à procéder au montage. Tony avait déjà filmé le building qui abritait la compagnie del Guardo. En revanche, et comme l'avait clairement stipulé Manolo, il n'y aurait aucune prise de vue de l'extérieur de la maison. Il n'était pas question non plus de filmer ses voitures, son yacht et son jet privé.

Avec une telle fortune, d'autres que lui auraient pu faire étalage de leurs richesses dans les médias, mais ce n'était pas son style. Bien au contraire, Manolo del Guardo avait recours à la plus haute technologie pour protéger sa vie privée.

Il était temps de commencer.

Ariane prit la parole.

— Je vous propose d'évoquer l'intérêt que vous portez aux causes humanitaires et les raisons qui vous ont incité à monter votre propre organisation caritative. En d'autres termes, j'aimerais que l'interview permette de répondre aux deux questions suivantes : de quelle manière contribuez-vous au succès de cette entreprise ? Et quels sont vos résultats et objectifs ?

Ariane, qui avait étudié le sujet en profondeur, connaissait déjà l'essentiel des réponses, mais Manolo pouvait peut-être apporter un éclairage nouveau sur la question. D'ordinaire, les médias s'intéressaient davantage à ses succès d'homme d'affaires. Le présenter comme un philanthrope était, finalement, une démarche inédite.

L'entretien commença. Au bout de quelques minutes, elle comprit que la générosité de son interlocuteur était sincère.

Tout le monde savait que la fondation del Guardo avait financé de nombreux projets pour les jeunes des quartiers défavorisés, faisant construire salles de sport, centres de loisir et hébergements d'urgence. Une équipe de conseillers, formée de professionnels et d'anciens jeunes en difficulté, se chargeait d'accompagner les adolescents et de les arracher à la loi de la rue. Ces cellules d'aide sociale permettaient à certains de sortir de la délinquance et empêchaient d'autres d'y sombrer.

— J'imagine que votre participation financière est très importante, dit Ariane en s'éclaircissant la gorge. Pourriez-vous nous donner un chiffre… ou, à défaut, un ordre de grandeur ?

— Non.

La réponse était sans appel. Ariane s'obstina pourtant.

— J'imagine que vous avez donné plusieurs millions ?

— Il me semble que je viens de répondre à votre question.

Consciente qu'il était inutile d'insister davantage, elle aborda une autre question.

— Vous suivez de très près les actions menées par votre fondation, mais prenez-vous parfois le temps de vous rendre sur le terrain ?

— Oui, répondit-il, l'air soudain rêveur. Je mets un point d'honneur à le faire.

Après l'avoir encouragé à évoquer ses impressions, Ariane jugea qu'il était temps de mettre un terme à l'entretien. Elle fit un geste discret à Tony qui attendit qu'elle eut prononcé une petite conclusion et remercié Manolo del Guardo pour éteindre sa caméra.

— Nous afficherons les coordonnées de votre fondation à la fin du reportage et les laisserons tout le temps du générique, déclara-t-elle en souriant.

— Je vous remercie. Maintenant, j'aimerais bien visionner la cassette de ce matin, si vous le permettez.

— Mais bien sûr. Tony se fera un plaisir de vous la montrer.

Ariane ramassa ses affaires, bien décidée à quitter la pièce. Plus le temps passait, plus elle était sensible au pouvoir de séduction de Manolo del Guardo. Et c'était un sentiment qu'elle trouvait très désagréable. Autant prendre congé de lui le plus rapidement possible.

Elle s'apprêtait donc à franchir le seuil de la porte lorsqu'il la rappela :

— Ariane... Il y quelque chose dont j'aimerais discuter avec vous.

Elle se rapprocha de lui, l'estomac noué. Allait-il lui demander de supprimer certaines questions au montage ? Si tel était le cas, un affrontement verbal était à redouter.

— Vous voulez que l'on en discute ici ? s'enquit-elle d'une voix incertaine.

— Cet endroit vous pose problème ?

« C'est vous qui me posez problème », songea-t-elle en s'efforçant de ne rien laisser paraître de ses pensées.

Tony, qui venait de ranger son matériel, quitta le bureau en lui adressant un regard éloquent. Jugeant que l'attaque était la meilleure des défenses, elle lança :

— Vous avez des reproches à m'adresser ?

— Pas du tout ! s'exclama Manolo. En fait, j'ai un service à vous demander.

Un peu décontenancée, Ariane se radoucit.

— Un service ?

— J'ai cru comprendre que vous étiez en vacances ces quinze prochains jours ?

44

Cette fois-ci, elle ne parvint pas à dissimuler un mouvement de surprise. Cet homme n'ignorait donc rien de sa vie ? Manifestement, son agenda n'avait pas de secret pour lui !

Mais était-ce si étonnant, après tout ? Sa renommée lui ouvrait toutes les portes. Il lui suffisait certainement de passer quelques coups de fil pour obtenir les informations qu'il désirait.

— Oui, je suis en vacances, reconnut-elle en le regardant d'un air méfiant.

Des vacances qu'elle comptait mettre à profit en allant au cinéma, en voyant quelques amis et surtout en se reposant au maximum.

— Pourquoi me posez-vous cette question ?

— Eh bien voilà : seriez-vous prête à rester quelques jours de plus ici pour vous occuper de Christina jusqu'à ce que l'agence m'envoie une nouvelle nurse ?

Ariane en eut le souffle coupé. Incrédule, elle demanda :

— C'est une plaisanterie ?

— Ma proposition est on ne peut plus sérieuse.

Et pour appuyer son propos, il lui proposa une rémunération qui lui parut exorbitante.

— Mais, enfin, je n'ai aucune qualifications en la matière ! protesta-t-elle.

— Vous avez réussi à créer un lien avec ma fille en quelques minutes. A mes yeux, cela vaut bien toutes les qualifications du monde.

— Christina est simplement sensible aux démonstrations d'affection. Je ne pense pas que ce soit lié à moi en particulier.

— Bien au contraire, Christina vous a tout de suite fait confiance. Et c'est pour cette raison que je me permets de vous adresser cette requête.

— Vous me connaissez à peine, objecta-t-elle, sentant déjà que son adversaire aurait réponse à tout.

— Détrompez-vous, répondit-il posément avant de décliner son âge, son lieu de naissance, son adresse et les derniers emplois qu'elle avait occupés.

— Très impressionnant…, commenta-t-elle, sans trop savoir si elle devait sourire ou non.

— Oh, mais ce n'est pas tout ! reprit-il en plantant son regard dans le sien. Votre père travaille pour une compagnie pétrolière implantée en Arabie Saoudite et vous voyez vos parents tous les ans. Vous avez un grand frère, Alex, qui dirige une entreprise à Hong Kong. Vous avez été brièvement mariée… La procédure de divorce a été longue et vous avez déposé une plainte à l'encontre de votre ex-époux pour harcèlement. Pas de petit ami et vous sortez très peu… Je continue ?

Ariane dut lutter contre le sentiment de colère qui venait de s'emparer d'elle.

— Ma vie privée ne vous regarde pas ! protesta-t-elle. De quel droit vous êtes-vous renseigné à mon sujet ?

— Ne le prenez pas mal, rétorqua sèchement Manolo. Pour moi, c'est une question de sécurité.

— La vôtre seulement, ironisa-t-elle.

— Et celle de ma fille.

Un cri de bébé résonna dans le couloir. Quelques instants plus tard, Santos entra dans la pièce avec la petite Christina serrée contre son épaule. Le pauvre homme qui tenait un biberon à la main semblait dépassé par la situation. Etait-ce un hasard ou une machination ? se demanda Ariane à l'apparition du majordome. Quoi qu'il en soit, en croisant le regard empreint de rage et de tristesse de la petite fille, elle sentit son cœur fondre.

Manolo prit le bébé dans ses bras, s'installa dans un fauteuil et lui présenta le biberon. L'enfant happa la tétine et se mit à téter beaucoup trop vite.

Instinctivement, Ariane voulut s'approcher, mais elle se ravisa au dernier moment. Il ne s'agissait pas de faire croire à Manolo qu'elle acceptait son offre.

— Christina boit trop rapidement, se contenta-t-elle de faire remarquer. Elle risque d'avoir du mal à digérer. Vous savez, c'est peut-être pour ça qu'elle pleure beaucoup.

— Que pourrait-on faire ? demanda Manolo.

— Il faudrait sans doute changer la tétine de son biberon, suggéra-t-elle. En trouver une avec un débit plus lent.

— Je vais tout de suite à la pharmacie, déclara Santos. Je rapporterai une sélection de tétines et nous verrons bien celle qui lui convient le mieux.

Le majordome s'exécuta sur-le-champ.

Le téléphone sonna alors. En dépit de ses craintes, Ariane proposa à Manolo de le remplacer pour qu'il puisse répondre. Celui-ci lui adressa un regard reconnaissant.

Installée à son tour dans le fauteuil, elle regarda l'enfant avec tendresse. Quel amour de petit bébé ! Ses cheveux étaient aussi sombres que ceux de son père et sa peau paraissait aussi douce qu'un pétale de rose. La petite tétait si fort qu'Ariane jugea utile de resserrer la bague du biberon pour réfréner son ardeur. Malgré cela, Christina termina son repas en quelques minutes.

De son côté, Manolo avait achevé son coup de téléphone. Assis sur le bord du bureau, il la regardait sans mot dire. Un silence quasiment palpable s'installa dans la pièce. Embarrassée, Ariane redressa l'enfant et lui tapota doucement le dos.

— Combien dois-je proposer pour vous convaincre ? demanda finalement Manolo.

Elle lui adressa un regard indigné.

— Je vous trouve insultant ! L'argent n'est pas la question.

— Ah oui ? reprit-il, un semblant d'ironie dans la voix. J'avais cru comprendre que, en ce bas monde, la plupart des choses se réglaient avec de l'argent ! Me serais-je trompé ?

Manolo affichait délibérément son cynisme, mais, en fait, la réaction d'Ariane le plongeait dans la plus grande perplexité. L'intégrité morale de la jeune femme était-elle sincère ou se sentait-elle obligée de revêtir ce rôle vertueux ?

Après tout, quelle importance ? songea-t-il. Le bien-être de Christina était tout ce qui comptait à ses yeux. Bon sang ! Dire qu'il était attendu à Melbourne le lendemain matin pour une réunion très importante ! Au pire, il pouvait confier sa fille aux bons soins de la crèche privée de l'entreprise qui l'attendait, mais cette solution lui répugnait. Depuis sa naissance, la petite n'avait jamais semblé sereine et plusieurs nounous s'étaient succédé, en vain, à son chevet. Un voyage risquerait de la déstabiliser davantage. Bien sûr, il pouvait toujours compter sur Santos et Maria, la femme de ménage, si jamais Ariane refusait son offre.

Mais il n'avait pas l'intention de laisser la jeune femme la refuser.

— Je vous en prie, dit-il d'une voix plus basse en plongeant son regard dans le sien.

« Touché », songea Ariane. « Je vous en prie… » Ces simples mots avaient suffi à la faire fléchir. Mais si elle comptait accepter, il n'allait pas s'en sortir à si bon compte.

— C'est entendu, répondit-elle en esquissant un petit sourire. Laissez-moi tout de même vous dire que vous avez triché !

— Triché ? Comment cela ?

— Eh bien, en vous arrangeant pour que Santos amène Christina au bon moment !

Manolo se contenta de hausser les épaules en souriant.

— Ce sera si dur que ça de vous occuper d'elle ?

« Pas au sens où vous l'entendez », aurait-elle pu répondre ; mais bien sûr elle n'en fit rien. La petite fille blottie dans ses bras ressemblait à un ange. En la regardant s'endormir, Ariane comprit que, de toute façon, elle n'aurait jamais pu refuser.

— Ce n'est que pour quelques jours, murmura-t-elle en caressant la main de l'enfant.

— Je vous remercie infiniment, déclara Manolo. Je vais demander à Santos de vous préparer un déjeuner, ça vous laissera le temps de mettre Christina au lit pour sa sieste.

Lorsque son nouvel employeur eut quitté la pièce, Ariane se leva à son tour, sans cesser de bercer la fillette. Tout en fredonnant une berceuse, elle monta l'escalier à pas de loup, entra dans la nurserie et déposa tendrement l'enfant dans son petit lit.

Puis elle s'avisa qu'il était grand temps de prévenir Tony des derniers changements. Comme prévu, son ami trouva ce projet saugrenu.

— Ah, là, là ! dit-il en soupirant. La légende disait donc vrai : aucune femme ne peut résister au charme de del Guardo !

Ariane s'efforça de lui adresser un sourire rassurant. Tony avait fait partie de son équipe au Kosovo. A l'époque, il n'avait pas approuvé qu'elle reste plus longtemps que prévu sur place. Et aujourd'hui encore, il s'inquiétait pour elle.

— Prends soin de toi, dit-il avec gentillesse.

— Ne te fais pas de souci.

— Bon, moi j'ai terminé. Il est grand temps que je m'en aille. On se voit bientôt ?

— Et comment !

4.

Un déjeuner délicieux l'attendait sur la terrasse. Santos lui avait dressé un très joli couvert, face à la baie de Sydney. La vue était tout simplement magnifique. La mer étincelait de mille feux sous le soleil de l'après-midi. Quelques bateaux, paquebots ou yachts, avançaient paisiblement sur les flots, laissant une écume lactée dans leur sillage.

Au loin, les immenses buildings de la ville se découpaient sur l'azur du ciel, ainsi que l'Opéra, célèbre dans le monde entier pour son audacieuse architecture.

Ariane avait beaucoup voyagé, mais ne se sentait chez elle que dans cette ville. A bien des égards, la vie s'était montrée généreuse avec elle. Son métier la passionnait et lui permettait de mener une existence très confortable. Elle possédait un appartement ravissant dans le quartier huppé de Double Bay et jouissait enfin de son indépendance.

Roger était la seule ombre au tableau.

Comme elle était officiellement en vacances, elle décida d'éteindre son téléphone portable pour s'assurer de ne pas être dérangée.

Etant donné qu'il était totalement inutile de changer de numéro de téléphone, puisque son ex-époux parvenait toujours à se le procurer, elle avait opté pour une autre solution. Son avocat lui avait conseillé d'enregistrer tous les messages qu'elle recevait et de lui transmettre toutes ses lettres afin de constituer un dossier à charge.

Soudain, les cris de Christina dans le haut-parleur qu'elle avait accroché à sa ceinture l'arrachèrent à ses réflexions. Son prochain repas n'était pas prévu avant quelques heures, mais l'enfant hurlait déjà de désespoir.

En entrant dans la nurserie, Ariane prit aussitôt la fillette dans ses bras en lui parlant doucement. Les pleurs cessèrent progressivement.

— Que dirais-tu d'un petit bain ? proposa-t-elle d'une voix chantante. On pourrait jouer un peu, toutes les deux.

Tout en babillant avec l'enfant, Ariane dut se mettre en garde à plusieurs reprises. Christina était un bébé adorable, mais elle ne devait pas trop s'attacher à elle car sa présence à ses côtés serait des plus brèves.

Dans la petite baignoire, l'enfant trônait, assise sur un petit transat. Quelques jouets, canards et autres animaux en plastique coloré, flottaient autour d'elle. Ariane ne tarda pas à lui arracher de grands rires ravis en l'éclaboussant doucement.

Ce fut ainsi que Manolo les trouva quelques minutes plus tard. La scène était si charmante qu'il resta sur le pas de la porte sans se manifester. Christina gazouillait à plaisir tandis qu'Ariane chantait des comptines à son attention.

— Tout va bien ? s'enquit-il au bout de quelques instants.

Ariane tourna la tête et l'aperçut, nonchalamment adossé au mur de la salle de bains. Troublée, elle répondit maladroitement.

— Tout va très bien, oui. Euh… ce sera bientôt l'heure de son dîner. J'ai demandé à Santos de lui préparer une purée de légumes.

— Vous avez peut-être besoin de faire un saut à votre appartement pour prendre quelques affaires ?

— Oui, répondit-elle en songeant qu'elle aurait grand besoin de quelques vêtements.

— Il me semble que vous étiez arrivée avec la voiture de votre coéquipier. Vous aurez peut-être besoin de la vôtre ? Si vous voulez, Santos va vous accompagner.

— Je vous remercie, mais je dois d'abord habiller Christina et la nourrir. Disons, dans une heure ?

— Très bien, je préviens Santos.

Il était presque 18 heures lorsqu'elle entra chez elle. D'un geste machinal, elle mit en route la climatisation pour rafraîchir l'atmosphère puis, résignée, se résolut à écouter les messages de son répondeur.

Comme elle l'avait redouté, la plupart émanaient de Roger. En entendant le son de sa voix et les horreurs qu'il assénait, elle fut submergée par le dégoût que cet homme lui inspirait.

Sans vraiment parvenir à oublier les propos vengeurs de ce dernier, elle réunit quelques affaires et fit rapidement sa valise. Puis, elle referma la porte de son appartement et prit l'ascenseur en direction du parking.

En arrivant devant son véhicule, son attention fut aussitôt attirée par son pneu avant droit.

— Oh, non, ce n'est pas vrai ! s'exclama-t-elle dépitée en constatant qu'il était crevé.

Philosophe, elle se rappela que ce n'était pas la première fois qu'elle était obligée de changer un pneu et alla chercher la roue de secours dans le coffre. Après tout, elle n'était pas à un quart d'heure près !

Sa tâche achevée, elle s'installa derrière le volant et mit le moteur en marche. Elle n'eut pas fait quelques mètres qu'elle sentit son pneu avant gauche racler sur le béton.

Deux pneus crevés ? Cette fois-ci, il ne pouvait guère s'agir d'une coïncidence. Sortant du véhicule, elle constata que la roue avant gauche avait été percée, elle aussi.

Roger ! Qui d'autre aurait pu faire cela ?

D'humeur rageuse, elle gara sa voiture, prit son sac et fonça chez le gardien de l'immeuble qu'elle avertit du larcin commis dans son parking. Celui-ci se chargea de prévenir la police et de lui appeler un taxi.

De retour à la propriété de Manolo del Guardo, elle fut accueillie sur le perron par Santos.

— Vous n'avez pas votre voiture ? demanda-t-il avec étonnement.

Elle se força à sourire en répondant.

— Malheureusement, non. Quelqu'un s'est amusé à crever mes deux pneus avant.

Le majordome fronça les sourcils.

— Vous avez prévenu la police ?

— Bien sûr. Comment va Christina ?

— Manolo l'a couchée sans la moindre difficulté, elle est endormie à présent, l'informa-t-il en souriant.

Puis, après quelques secondes de silence, il ajouta :

— J'ai l'impression que la petite a passé une bonne journée.

— J'en suis ravie, dit Ariane, touchée par son compliment indirect.

— Bien, le dîner sera servi dans une demi-heure. Je vais m'occuper de votre sac.

— Oh, je peux m'en charger moi-même ! Il n'est pas très lourd…, protesta-t-elle faiblement.

— Mais si, j'insiste.

Santos déposa sa valise dans sa chambre et s'éclipsa discrètement. Avant de se préparer pour le dîner, elle fit un détour par la nurserie où Christina était profondément endormie. Rassurée de voir que l'enfant paraissait apaisée dans son sommeil, elle referma doucement la porte derrière elle.

Jugeant utile de se changer, même s'il y avait fort à parier qu'elle dînerait seule, elle délaissa son jean pour une jupe noire discrètement évasée sur les genoux et un haut couleur crème. Après avoir noué ses cheveux en queue-de-cheval et rehaussé l'éclat de ses joues par une touche de blush, elle descendit à la salle à manger.

A sa grande surprise, elle constata que la table avait été dressée pour deux. Santos devait donc dîner avec elle ?

— Asseyez-vous, je vous en prie.

Au son de la voix de Manolo, elle se retourna.

Lui aussi s'était changé. Revêtu d'un pantalon noir et d'une chemise en chambray, il conjuguait à merveille élégance et décontraction.

Rien chez lui ne trahissait ses véritables origines. Il se comportait, s'exprimait et s'habillait comme un homme habitué aux privilèges… comme s'il n'avait jamais connu la pauvreté durant son enfance.

Incontestablement, ses allures de prince et ses manières policées faisaient de lui un homme du monde. Néanmoins, Ariane soupçonnait qu'au-delà des apparences subsistait en lui une certaine dureté… L'enfant indompté qu'il avait été — l'enfant rebelle et travailleur — sommeillait peut-être encore quelque part au fond de lui.

Cette nature secrète qu'elle croyait déceler en lui la fascinait et l'effrayait tout à la fois.

— J'ai pensé qu'il serait plus agréable que nous prenions notre repas ensemble, déclara-t-il en lui faisant signe de s'asseoir.

— Très bien, murmura-t-elle en prenant place.

Manifestement, Manolo prenait la chose avec décontraction. Ce n'était pas son cas. Que faisait-elle à la table de cet homme ? Elle n'était pas son employée puisque son « contrat » ne devait durer qu'une semaine, mais pouvait difficilement se considérer comme une invitée pour autant. Cette absence de « statut officiel » la rendait très mal à l'aise.

De toute façon, elle se sentait très tendue en la présence de cet homme. Il exerçait sur ses sens une dangereuse attirance qu'elle trouvait de plus en plus difficile à ignorer.

Même à l'époque où Roger la courtisait, elle n'avait jamais ressenti un tel tumulte en elle…

« Folle que tu es ! », se reprocha-t-elle silencieusement. Qu'est-ce qui lui avait donc pris d'accepter de garder la fille de ce don Juan en puissance ? La solution la plus sage aurait été de fuir. Et vite !

— Puis-je vous proposer un apéritif ? demanda Manolo avec courtoisie.

— Seulement un jus de fruit, répondit-elle en s'efforçant de dissimuler sa nervosité.

Il alla derrière le bar, lui servit un jus d'orange et remplit son propre verre de vin blanc.

— Vous devriez indiquer à Santos le nom du garage qui remplace les pneus de votre voiture. Il s'arrangera pour qu'elle vous soit apportée ici.

Bien entendu, il était déjà au courant de sa mésaventure ! Santos l'en avait certainement informé avant le dîner. Dans cette demeure, il était impossible de cacher la moindre chose au maître des lieux.

— C'est gentil, mais je crois que ce ne sera vraiment pas la peine.

Manolo la regarda droit dans les yeux sans répondre. Puis il souleva le couvercle du plat principal qui contenait une appétissante paella et entreprit de la servir.

— Vous verrez, dit-il, elle est délicieuse.

— Elle m'en a tout l'air !

— Pour en revenir à votre voiture, je ne vois pas l'intérêt de la renvoyer directement dans votre parking où le même « incident » risquerait de se reproduire.

— A quelques jours près, je ne vois vraiment pas la différence. Et puis…

— Et puis ?

A quoi bon hésiter alors que Manolo était parfaitement au courant de la situation ?

— Eh bien, ce n'était peut-être pas mon ex-mari, déclarat-elle sans grande conviction. De toute façon, la police n'y verra qu'un acte de vandalisme isolé.

— Si cet homme vous surveille, ou vous fait surveiller, il a certainement remarqué que Tony était sorti seul de chez moi.

— Je me suis fait la même remarque, figurez-vous.

— A votre avis, que va-t-il imaginer à notre sujet ?

— A *notre* sujet ? reprit-elle, stupéfaite. Mais nous ne sommes pas ensemble, voyons !

— Peut-être, mais, ça, il n'en sait rien.

Ariane le regarda droit dans les yeux.

— Alors vous, murmura-t-elle, on peut dire que vous n'avez pas de problème d'ego !

Manolo partit d'un grand éclat de rire.

— Votre franchise est rafraîchissante, même si vous m'avez mal compris. Je faisais référence à la jalousie de votre ex-mari et je me demandais si celle-ci pouvait le rendre violent.

Ariane se sentit blêmir. Que sous-entendait-il par là ? Craignait-il que sa présence sous son toit ne lui crée des problèmes ?

— Si vous préférez que je m'en aille, n'hésitez pas à le dire, dit-elle d'une voix polie mais froide.

Il la dévisagea avec étonnement.

— Pourquoi vous demanderais-je de partir ?

— Je représente un risque pour la sécurité de votre maison.

56

— Vous plaisantez ? Au cas où vous ne l'auriez pas remarqué, ma demeure est sous surveillance permanente et, croyez-moi, je suis aussi bien équipé qu'un chef d'Etat ! Vous êtes plus en sécurité ici que n'importe où ailleurs.

— Comme c'est rassurant !

— Le cynisme ne vous sied guère, déclara-t-il en la regardant en biais. Vous prendrez bien un peu de salade ?

Elle fit signe que non. Et comme cette conversation lui avait coupé l'appétit, elle se leva de table.

— Pardonnez-moi, mais j'aimerais aller voir comment se porte Christina.

— Asseyez-vous.

Abasourdie, elle l'interrogea du regard.

— Si ma fille avait besoin de vous, on l'aurait entendue pleurer dans l'Interphone. Alors, je vous en prie, mangez.

Mais pour qui se prenait-il ? se demanda Ariane, scandalisée par ses manières autoritaires.

— Serait-ce un ordre ?

D'un geste calme, presque réfléchi, il reposa sa fourchette dans l'assiette puis s'adossa nonchalamment à sa chaise, comme pour la scruter à loisir. Cette attitude un peu désinvolte mettait les nerfs d'Ariane à rude épreuve.

— C'est simplement une suggestion. Asseyez-vous, je vous en prie.

Se sentant soudain extrêmement gauche, elle se rassit. Manolo insista de nouveau pour qu'elle se serve en salade et évoqua l'organisation de la journée du lendemain.

— Je prendrai l'avion très tôt pour Melbourne et rentrerai tard dans la soirée. Mais Santos sait qu'il peut me joindre à tout moment en cas de problème.

— Tout ira bien, ne vous inquiétez pas, assura-t-elle en soutenant son regard.

— J'en suis sûr.

Et de fait, Manolo avait la conviction que sa fille était en de très bonnes mains. En revanche, Ariane Celeste n'était pas en forme ce soir et il se demandait bien pourquoi cela l'inquiétait à ce point.

Sans doute était-ce parce qu'elle lui plaisait… Et le mot était faible. En vérité, il n'avait jamais éprouvé une telle fascination pour une femme. Et pourtant, ce n'étaient pas les propositions qui manquaient…

Bien sûr, il ne s'agissait que d'une simple attirance sexuelle. L'amour, il n'y croyait pas. Du moins, pas à celui qui était censé unir un homme et une femme jusqu'à la fin de leurs jours. Il laissait aux romanciers le soin de discourir sur cette fable qu'ils avaient inventée. On aurait certainement pu lui reprocher son cynisme. Lui se sentait simplement réaliste.

Un son étouffé s'échappa de l'Interphone, suivi bientôt de longs sanglots.

— J'y vais, dit Ariane en se levant de sa chaise.

Resté seul, Manolo saisit son verre et le regarda d'un œil morne. Il n'avait plus du tout envie de boire du vin à présent. Il se leva donc de table à son tour et se dirigea vers son bureau dans l'intention de relire quelques dossiers en vue de la réunion du lendemain.

Dans le couloir, il croisa Santos.

— Le repas est terminé ?

Manolo inclina la tête.

— Valentina Vaquez a appelé tout à l'heure, lui apprit le majordome. Elle aimerait que vous la rappeliez.

Manolo réprima une grimace. C'était la troisième fois de la journée que Valentina essayait de le joindre. Cette femme était vraiment insistante ! Quelle excuse allait-elle trouver cette fois-ci ? Sans doute une autre « invitation » à lui transmettre.

— C'est noté, Santos, répondit-il en soupirant.

Il entra dans son bureau pour n'en ressortir que deux heures plus tard. Lorsqu'il emprunta le couloir du premier étage pour regagner sa chambre, il remarqua que la porte de la nurserie était entrouverte et qu'une faible lueur s'en échappait. Sans bruit, il s'approcha.

Le son d'une berceuse parvint alors à ses oreilles. Doucement, il poussa la porte.

Tendrement abandonnée dans les bras d'Ariane, Christina semblait sur le point de s'endormir. Cette image touchante l'émut singulièrement. Pourtant, ce n'était pas la première fois qu'il était témoin d'une scène semblable. Ces cinq derniers mois, de nombreuses nurses avaient essayé d'endormir sa fille de la sorte, mais pour la première fois, il ressentait une véritable osmose entre Christina et la femme qui s'occupait d'elle.

Au bout de quelques secondes, Ariane se retourna et l'aperçut. Ignorant délibérément le trouble qui venait de l'envahir, elle se dirigea vers le berceau où elle déposa délicatement l'enfant. Christina se laissa faire en poussant un petit soupir de bien-être. Ariane resta à côté du lit quelques secondes, puis sortit de la chambre sur la pointe des pieds.

La faible veilleuse éclairait à peine la pièce, mais en arrivant au niveau de Manolo, Ariane sentit son regard se poser sur elle. Les battements de son cœur s'accélérèrent imperceptiblement.

Ce sentiment était très désagréable, tout comme la présence de cet homme d'ailleurs… Au moment même où cette pensée lui traversa l'esprit, elle se rendit compte qu'elle était mensongère. Le problème, le *véritable* problème, c'était que Manolo l'attirait de plus en plus.

Elle murmura un vague « bonne nuit » et regagna prestement sa chambre. Il se faisait tard et elle avait grand besoin de repos.

Cependant, une fois au lit, elle fut incapable de trouver le sommeil. Durant ce qui lui sembla une éternité, elle garda les yeux grands ouverts, rivés au plafond. Elle se remémora les messages haineux de Roger, sa mésaventure avec les pneus de sa voiture et… sa discussion avec Manolo à table. En la présence de ce dernier, elle éprouvait des sentiments contradictoires. D'un côté, il la fascinait ; de l'autre, il l'impressionnait au point de lui donner envie de fuir. Tout cela n'augurait rien de bon… Pourquoi diable avait-elle accepté de s'installer chez lui ?

L'image de la petite Christina se forma alors devant ses yeux et elle comprit ce qui l'avait incitée à accepter l'offre de Manolo del Guardo. Cette petite avait besoin d'elle — du moins, en attendant de trouver une nurse qui saurait la choyer.

Avec un peu de chance, l'agence appellerait le lendemain pour annoncer l'arrivée de la perle rare.

Le lendemain matin, Ariane se réveilla de bonne heure, s'occupa du premier repas de Christina et, lorsque celle-ci fut recouchée, descendit sur la terrasse pour prendre son petit déjeuner.

Soulagée de constater que Manolo était déjà parti, elle songea qu'elle pourrait pleinement profiter de la petite fille toute la journée, sans craindre le regard inquisiteur du maître des lieux.

Après avoir bu un café et dégusté quelques toasts, elle se dirigea vers la cuisine dans l'intention de préparer le déjeuner de Christina. Là-bas, elle retrouva Santos qui la présenta à Maria, la femme de ménage. Ariane ressentit aussitôt de la sympathie pour cette femme à la silhouette potelée et au sourire avenant.

— J'ai cinq enfants, lui apprit cette dernière en souriant avec fierté.

— J'imagine que vous devez être très occupée !

— Très ! s'exclama Maria en riant. Nous rions beaucoup, nous mangeons beaucoup et nous nous bagarrons parfois. Bref, on s'amuse comme des fous ! Je vous ai préparé une salade de poulet pour le déjeuner. Vous verrez, c'est une de mes spécialités.

— A moins que vous ne préfériez autre chose ? coupa Santos.

— Pas du tout ! J'ai hâte de goûter à cette salade, répondit Ariane en souriant chaleureusement à Maria.

— Alors, comment va notre petite Christina ? s'enquit cette dernière. Ces derniers jours, elle donnait l'impression de faire ses dents. Ah, la pauvre ! Toutes ces nounous… ça ne remplace pas l'amour d'une mère.

Ariane ne put qu'acquiescer aux propos de Maria.

Elle regagna la nurserie où Christina venait de se réveiller. En la voyant, l'enfant lui adressa un grand sourire ravi, suivi de quelques « a-reuh » adorables. Tout en la prenant dans les bras, Ariane balaya la pièce du regard. La chambre était décorée de manière charmante. Divers mobiles de bois étaient suspendus au plafond et, sur les murs, des animaux avaient été peints au pochoir. Les jouets, peluches et autres albums colorés foisonnaient, mais, malgré cela, l'enfant manquait de l'essentiel.

— Pauvre trésor, je suis sûre que tu es affamée ! Viens, je t'ai préparé un vrai festin !

Lorsque la fillette eut fait honneur à son repas, Ariane décida de l'emmener en promenade. Dans cette immense demeure, il devait bien y avoir une poussette !

Elle prit Christina dans les bras et alla chercher Santos.

— Un peu d'air frais lui ferait le plus grand bien. Je vais la promener un petit peu, annonça-t-elle.

— Bonne idée. Il y a un landau dans l'office. Je vais aller le chercher et puis je vous accompagnerai.

Ariane le dévisagea avec stupéfaction.

— Mais je n'ai pas l'intention de quitter la propriété !

— Le grand air me fera le plus grand bien, à moi aussi, décréta Santos.

Ses propos ne la dupèrent pas.

— Il ne faut tout de même pas sombrer dans la paranoïa ! protesta-t-elle.

— Jusqu'à présent, la presse n'a aucune photo de Christina à diffuser. Et Manolo a bien l'intention que ça dure.

Ariane garda le silence. En songeant qu'une photo volée de l'enfant pourrait valoir une petite fortune, son cœur se serra.

— Et pendant combien de temps Christina sera-t-elle tenue à l'abri du monde extérieur ?

— Jusqu'à ce qu'il y ait… euh… une certaine stabilité dans sa vie.

— Ce dont Manolo a besoin, c'est d'une femme.

Ces mots avaient quasiment échappé à Ariane. Santos lui lança un regard perçant.

— Je crois qu'il en est conscient.

Etant donné que les femmes se bousculaient certainement au portillon, il devait avoir l'embarras du choix, songea-t-elle. A cette idée, elle ressentit une impression désagréable. Mieux valait penser à autre chose.

— Bon, on le fait ce petit tour ? dit-elle en arborant un sourire.

Nimbé de lumière, le parc était magnifique. La douce quiétude qui émanait de ce jardin enchanteur apaisa Ariane. Bercée par le roulis de la poussette sur les graviers de l'allée, elle se sentit envahie par une paix profonde.

Santos, qui marchait à ses côtés, jetait de temps à autre des coups d'œil en direction des remparts du jardin.

— Vous travaillez sans doute depuis longtemps pour Manolo, déclara-t-elle sur un ton dégagé.

— Oui.

Elle sentit aussitôt la méfiance de Santos, mais insista, l'air de rien.

— Si j'ai bien compris, vous l'avez connu alors qu'il était adolescent ?

— Oui.

— On dirait que mes questions vous gênent. Si ça peut vous rassurer, le reportage est bouclé à présent.

— Pas vraiment, si l'on considère qu'il n'est pas encore monté et que vous avez encore la possibilité d'ajouter des commentaires.

Cette fois-ci, Ariane ressentit une bouffée de colère. Elle avait la duplicité en horreur et supportait mal que l'on puisse la soupçonner de malhonnêteté.

— Du coup, vous pensez que je vais essayer de glaner des informations supplémentaires durant mon séjour ?

— Ne le prenez pas mal, mais je suis bien obligé de prendre en compte cette éventualité.

— Vous me connaissez mal. Jamais je ne ferai une chose pareille ! protesta-t-elle avec véhémence.

— Je vous crois, mais la prudence fait partie de mon métier.

Il avait parlé avec douceur, comme s'il cherchait à se faire pardonner, mais ses propos avaient blessé Ariane qui resta silencieuse.

Ce fut Santos qui brisa le silence au bout de quelques minutes.

— Et si vous me parliez un peu de vous ? suggéra-t-il gentiment.

— Je n'en vois pas l'intérêt, répondit-elle un peu sèchement. Votre employeur a déjà constitué tout un dossier à mon sujet et je parie que vous le connaissez.

— Ne le prenez pas mal. Dans sa position, vous savez, c'est une précaution nécessaire.

— Il redoute donc tant que ça les ennemis qui essaieraient de s'attaquer à la forteresse ?

— Christina ferait une proie rêvée pour un kidnappeur. Vous imaginez le montant de la rançon qu'il pourrait exiger ?

A ces mots, Ariane frissonna d'effroi.

— Voyez-vous, reprit le majordome, Manolo se moque éperdument de sa propre sécurité. Mais, sa fille, c'est autre chose.

— Je comprends, murmura-t-elle, regrettant ses paroles.

Le téléphone portable de Santos sonna. Celui-ci fouilla hâtivement dans sa poche et décrocha. Soucieuse de ne pas paraître indiscrète, Ariane rebroussa chemin, laissant le majordome marcher quelques pas derrière elle. Mais elle se demanda s'il s'agissait de Manolo qui s'inquiétait pour sa fille.

— C'était le garage, lui apprit Santos lorsqu'il eut raccroché. Votre voiture sera là dans une demi-heure.

Elle le regarda avec étonnement.

— C'étaient les instructions de Manolo.

Des sentiments contradictoires s'emparèrent d'Ariane. D'un côté, elle trouvait irritant que cet homme régente sa vie à ce point ; de l'autre, elle lui était reconnaissante de ce qu'il faisait pour elle.

La journée suivit paisiblement son cours jusqu'à l'heure du bain de Christina. Comme la veille, ce fut un moment de détente joyeuse qui dura un peu plus longtemps que prévu car Ariane n'avait pas le cœur à mettre un terme au plaisir de l'enfant.

Après l'avoir nourrie et couchée, elle descendit à la salle à manger où elle dîna seule. Puis, elle s'installa machinalement devant le poste de télévision du petit salon et regarda les informations d'un œil distrait.

Elle songea alors qu'elle n'avait pas encore allumé son téléphone portable de la journée et qu'il était grand temps de vérifier si elle n'avait pas reçu d'appels. Sept messages avaient été enregistrés parmi lesquels cinq provenaient de Roger. Une fois de plus, il avait utilisé des numéros de téléphone différents.

Un profond découragement s'empara d'elle. Cette situation ne cesserait-elle donc jamais ? Elle aurait aimé pouvoir se confier à quelqu'un, mais jugea préférable de garder sa détresse pour elle. Appeler ses parents ou son frère les inquiéterait inutilement. Quant à son avocat, il se contenterait certainement de lui répéter les conseils qu'il lui avait déjà donnés.

Elle pouvait bien sûr compter sur ses amis, mais ils lui proposeraient aussitôt de la voir et elle n'avait guère la possibilité de se libérer.

Refoulant un soupir, elle se rendit dans la cuisine dans l'intention de se préparer un thé. Elle venait tout juste de verser de l'eau bouillante dans sa tasse quand Santos entra dans la pièce. Son sourire se figea sur ses lèvres devant la gravité de l'expression du majordome.

— Quelque chose ne va pas ? s'enquit-elle avec inquiétude.

— Le système d'alarme vient d'être activé.

— Comment ? Mais je n'ai rien entendu !

— C'est un système plus compliqué… des capteurs de chaleur… des caméras de surveillance.

— Seigneur ! Et qu'est-ce que ça veut dire ?

— Qu'il y a un intrus dans la propriété.

Son sang ne fit qu'un tour.

— Mon Dieu, Christina ! s'écria-t-elle en se ruant vers la sortie.

— Personne n'est entré dans la maison ! lui cria Santos.

Mais elle n'attendit pas ses explications pour se précipiter dans la nurserie où la petite fille dormait paisiblement. Rassurée, Ariane contempla l'enfant durant de longues minutes.

Dans son sommeil, Christina ressemblait à un petit ange et Ariane se sentait fondre de tendresse à sa vue.

La police avait certainement été informée que le système d'alarme s'était déclenché et des agents seraient sur place dans quelques minutes.

En attendant, Ariane jugea préférable de ne pas quitter la chambre et s'installa sur un fauteuil pour veiller sur la fillette.

5.

Ce fut à cette même place que Manolo la trouva quelques heures plus tard, profondément endormie. Il la contempla en silence. D'où il était, il pouvait apercevoir le doux mouvement de sa respiration. Les cheveux blonds d'Ariane, épars sur ses épaules, accrochaient les quelques rayons de lune filtrant à travers les volets. Les jambes repliées sous elle, la jeune femme ressemblait à la fois à une petite fille et à un ange.

Il venait de subir une journée effroyable. La réunion du matin s'était bien déroulée et, sur le plan professionnel, il avait toutes les raisons de se montrer satisfait. En revanche, lors de son déjeuner d'affaires au restaurant, il était tombé sur Valentina Vaquez, qui se trouvait « incidemment » placée à la table jouxtant la sienne.

La jeune femme ne manquait pas de relations et savait les utiliser à bon escient. Il ne doutait pas une seule seconde qu'elle avait su frapper à la bonne porte pour obtenir l'adresse du restaurant.

Bien entendu, elle avait toujours une bonne excuse pour croiser son chemin. Cette fois-ci, elle lui avait raconté qu'elle faisait la tournée des boutiques de luxe dans le quartier.

Mais, avec Valentina, il n'y avait jamais de hasard !

Aussi, lorsqu'au moment de rentrer à Sydney il l'avait retrouvée à l'aéroport, il n'en avait conçu nul étonnement. En revanche, il avait éprouvé toutes les peines du monde à dissimuler sa déconvenue en découvrant que, non contente de voyager dans le même avion que lui, elle s'était arrangée pour être assise à ses côtés !

Et, comme si cela ne suffisait pas, elle l'avait suivi jusqu'au parking, l'obligeant ainsi à lui proposer de la raccompagner chez elle. Lorsqu'il s'était acquitté de son devoir, elle avait pris sa voix la plus suave pour lui offrir de prendre un café chez elle, mais cette fois-ci il avait poliment décliné l'offre.

Ce refus, de toute évidence, avait profondément déplu à la jeune femme.

Pour couronner le tout, à peine rentré chez lui, il avait dû s'occuper de l'intrusion qui avait eu lieu quelques heures plus tôt dans l'enceinte de sa demeure.

Ce dont il avait besoin en cet instant était un verre de bon cognac, mais il ne parvenait pas à détacher son regard de la femme qui avait accepté de s'occuper de sa fille.

Que devait-il faire ? La laisser dormir dans ce fauteuil ou la réveiller pour qu'elle puisse achever sa nuit dans un lit confortable ?

Il opta pour la seconde solution.

A peine l'eut-il frôlée qu'elle se redressa aussitôt, dans la posture de quelqu'un qui s'apprête à se défendre. Manolo, qui ne s'était pas attendu à une réaction si vive, encercla ses poignets, pensant l'apaiser, mais suscita l'effet inverse. La jeune femme, qui sortait à peine du sommeil, se mit à se débattre.

Lorsque Ariane avait senti des mains d'homme se refermer sur elle, un sentiment de terreur l'avait envahie. Sans réfléchir, elle avait commencé à lutter pour s'arracher à cette étreinte hostile.

Alors, elle s'était sentie soulevée et emmenée dans le couloir.

Ce ne fut qu'en pleine lumière qu'elle se rendit compte qu'elle se trouvait dans les bras de Manolo. Elle sentit ses joues s'empourprer de honte.

— Je... je suis désolée, bredouilla-t-elle, consternée. Je pensais que...

— Je dois dire que vous ne manquez pas de ressources.

— Je suis vraiment confuse...

— Vous l'avez déjà dit, fit-il remarquer sur un ton gentiment moqueur. Allons, c'est oublié. J'espère que vous avez passé une bonne journée ?

— Oui, Christina s'est beaucoup amusée. Elle s'est endormie aussitôt après le dîner et ne s'est pas réveillée depuis.

— Je sais, Santos m'a raconté tout ça.

Manolo, qui avait baissé d'un ton, la regardait d'un air pensif. Confusément, Ariane perçut que quelque chose avait changé entre eux. Quoi ? Elle n'aurait su le dire. L'heure tardive y était certainement pour beaucoup, s'avisa-t-elle en tâchant de rationaliser le trouble qui montait en elle.

Et pourtant, un changement avait lieu en cet instant même. Elle le devinait, même si elle ignorait ce dont il s'agissait. En proie à un vertige soudain, elle eut la sensation de perdre l'équilibre. Instinctivement, elle leva un bras pour se stabiliser et sentit aussitôt la main de Manolo la saisir.

— Tout va bien à présent, dit-il d'une voix calme.

Trop calme.

— Je vais bien, assura-t-elle en retirant doucement sa main. Est-ce que l'intrus a été attrapé ?

— Non, il a réussi à escalader le mur. Les caméras de surveillance ont filmé son escapade. Mais ça ne nous a pas permis de l'identifier pour autant... Ce petit malin portait un masque de ski.

Ariane crut défaillir. Et si cet homme était Roger ? Serait-il capable d'aller aussi loin ?

— Je peux visionner la cassette, suggéra-t-elle en essayant de dissimuler le tremblement de sa voix.

Manolo parut comprendre ce à quoi elle faisait allusion.

— Je ne crois pas que ce sera utile. L'intrus est plus petit que votre ex-mari. J'ai déjà fait vérifier cela.

Ariane n'était pas rassurée pour autant. Roger avait très bien pu louer les services d'un homme pour lui faire comprendre qu'elle n'était à l'abri nulle part.

Bien sûr, il était possible que le rôdeur n'eût aucun lien avec son ex-mari, mais elle éprouvait toutes les peines du monde à s'en convaincre.

La solution la plus sage était encore de rentrer chez elle et de reprendre le fil de son existence. Roger se « calmerait » certainement et s'en tiendrait à un ou deux messages quotidiens, comme par le passé. Ce serait pénible pour elle, mais au moins personne n'aurait à souffrir du comportement de son ex-époux.

— Il serait sans doute préférable que je parte.

— Non, répondit Manolo avec un aplomb qui la surprit.

Elle leva les yeux vers lui et fut saisie par l'intensité du regard qu'il venait de poser sur elle.

— Non ? reprit-elle à mi-voix.

— A quoi bon entrer dans son jeu ? Il ne cherche que cela, asséna-t-il.

Puis il ajouta d'une voix basse :

— Pour l'heure, il se fait tard, allez vous coucher.

— Ne… ne me dites pas ce que je dois faire, répliqua-t-elle maladroitement.

— Ce n'était pas mon intention.

Rêvait-elle ou la voix de Manolo était-elle plus rauque à présent ? Plus rauque et plus douce aussi ?

Un silence assourdissant se fit. Ils restaient là, tous les deux face à face, à se regarder. Consciente du danger, mais incapable de fuir, Ariane sentit un voile lui brouiller la vue.

Manolo plaça les mains de chaque côté de son visage, se pencha lentement vers elle et posa ses lèvres sur les siennes.

Le temps était suspendu.

Ce n'était qu'un baiser, rien qu'un petit baiser, songea-t-elle, aux abois, tandis qu'une petite voix intérieure la pressait de fuir. Mais il était trop tard, bien trop tard, et lorsque Manolo l'enlaça contre lui, comme pour mieux la goûter, elle se sentit engloutie dans un océan de volupté.

Jamais elle n'avait éprouvé cela. Noyée dans ses bras, incendiée de désir, il lui semblait entrevoir des plaisirs qu'elle n'avait jamais soupçonnés.

Dans un ultime éclair de lucidité, elle comprit qu'elle devait à tout prix mettre un terme à cette étreinte et se raidit. Comme s'il avait perçu son malaise, Manolo la relâcha doucement.

Sans dire un mot, ils se regardèrent longuement, comme transformés par l'instant magique qu'ils venaient de partager.

Manolo laissa glisser un doigt le long de la joue d'Ariane avant de caresser le contour de ses lèvres parfaites. La jeune femme émit un soupir et tourna prestement les talons. Immobile et pensif, il la regarda s'éloigner dans le couloir.

Que s'était-il passé ? se demanda-t-il, étonné par son propre geste. Il n'avait d'abord songé qu'à la réconforter puis, sans trop savoir comment, l'avait embrassée. Et qui sait ce qui aurait pu se produire s'il avait donné libre cours à son désir ?

Le lendemain matin, en descendant prendre son petit déjeuner, Ariane fut soulagée de constater que Manolo n'était pas là. Santos lui expliqua qu'il était déjà parti pour son bureau.

Avait-il dormi, lui ? s'interrogea-t-elle en se servant en café. Certainement, s'avisa-t-elle aussitôt. Manolo ne devait pas être de ceux qui s'emballent pour un simple baiser !

Malheureusement, elle ne pouvait pas en dire autant d'elle-même. Toute la nuit durant, elle s'était retournée dans son lit sans trouver le sommeil. Cent fois, elle avait essayé d'analyser le baiser de Manolo. Cent fois, elle s'était persuadée qu'il ne s'agissait que d'un geste anodin.

Il faisait nuit, tous deux étaient fatigués, vulnérables… Cette étreinte apparaissait comme le fruit d'une impulsion passagère, ni plus ni moins.

Après avoir boudé son petit déjeuner, elle sortit sur la terrasse, espérant ainsi se changer les idées. Par acquit de conscience, elle consulta les messages de sa boîte vocale. Roger lui en avait déjà laissé deux, mais aucun ne permettait de supposer qu'il était à l'origine de la mystérieuse intrusion de la veille.

Lorsqu'elle alla retrouver Christina, celle-ci lui réserva un très bon accueil. Charmée par la bonne humeur de l'enfant, Ariane passa finalement une excellente journée. Mais, par moments, elle ne pouvait s'empêcher de penser qu'il lui faudrait quitter cette enfant et qu'elle ne la reverrait plus jamais.

Elle profita donc de chaque instant et prit son repas dans la nurserie avec Christina pour passer un peu plus de temps avec elle. En fait, elle souhaitait également éviter de croiser Manolo au dîner. Comment pourrait-elle se comporter normalement avec lui après le baiser qu'ils avaient échangé la veille ?

Mais, en espérant l'éviter en demeurant à l'étage, elle s'était trompée. Christina venait à peine d'achever son biberon lorsqu'il entra dans la chambre.

Ce moment, Ariane l'avait anticipé toute la journée et pourtant ce fut les nerfs à vif qu'elle leva les yeux vers lui. En croisant son regard d'ébène, elle sentit les battements de son cœur s'accélérer.

— Bonsoir Ariane, déclara-t-il posément. D'après ce que Santos m'a dit, la journée s'est déroulée normalement.

Puis il se tourna vers sa fille et lui adressa un sourire chaleureux avant de la prendre dans ses bras.

— Et toi, *pequeña*, comment vas-tu ce soir ?

En guise de réponse, la fillette émit un petit roucoulement adorable tout en agitant les jambes d'excitation.

Ariane se leva.

— Je vais vous laisser, murmura-t-elle.

— Non, attendez, répondit Manolo en posant la main sur son bras. Il faut que nous parlions. Peut-être tout à l'heure ?

— Oui, Christina doit se coucher dans une demi-heure. Profitez-en pour passer un peu de temps avec elle.

— D'accord, je propose que nous nous retrouvions dans mon bureau. Disons dans trois quarts d'heure ?

— Entendu, répondit-elle en déglutissant péniblement.

Puis, sans tarder davantage, elle regagna sa chambre. Là, dans la solitude de ses appartements, elle se laissa tomber sur son lit, ferma les yeux et tâcha de recouvrer son calme.

Un petit détour par la salle de bains où elle s'aspergea d'eau fraîche lui fit le plus grand bien.

Lorsqu'elle se sentit apaisée, ou du moins lorsqu'elle se fut persuadée qu'elle l'était, il lui sembla utile de consulter la messagerie de son téléphone portable.

Comme de coutume, Roger lui avait laissé deux messages. Heureusement, sa mère et Tony l'avaient également appelée pour avoir de ses nouvelles. Elle leur envoya à chacun un message rassurant puis elle descendit dans le bureau, où Manolo l'attendait déjà.

Après l'avoir priée de s'asseoir, il la regarda avec gravité.

— Que se passe-t-il ? demanda-t-elle avec anxiété.

— L'agence m'a appelé pour me dire qu'une nurse était disponible dès demain.

Ariane aurait dû se sentir soulagée, mais cette nouvelle lui causa un choc.

— Très bien, je partirai après le petit déjeuner, déclara-t-elle en tâchant d'ignorer sa déception.

— Faites à votre guise.

Tout était pour le mieux, songea-t-elle. Après tout, n'était-ce pas le vœu qu'elle avait formulé l'avant-veille avant de s'endormir ? Désormais, tout allait rentrer dans l'ordre.

— Je tenais à vous remercier d'avoir accepté de vous occuper de Christina ces derniers jours, dit-il en sortant un chèque de sa veste. Tenez, voici de quoi vous dédommager.

Ariane ne fit pas un geste.

— Je ne veux pas de votre argent.

Manolo fronça les sourcils.

— Nous étions pourtant d'accord.

— Vous m'avez proposé de me payer, mais je ne me rappelle pas avoir accepté.

— Ariane…

Elle se leva d'un coup. Dans un effort surhumain, elle parvint à le regarder sans ciller.

— Le directeur de la chaîne vous appellera dès que le reportage aura été monté. Il vous enverra alors une cassette pour obtenir votre accord final.

— Puisque vous ne voulez pas recevoir ce chèque de mes mains, je demanderai à Santos de vous l'envoyer, se contenta de répliquer Manolo.

— Faites cela et je vous le renverrai aussitôt.

Sur ces paroles, elle quitta calmement le bureau en refermant la porte derrière elle. « Pleurer ne t'avancera à rien », se dit-elle en montant l'escalier. Mais dès qu'elle fut seule dans sa chambre, elle dut essuyer une larme impudente qui coulait sur sa joue.

Pour se changer les idées, elle résolut de faire ses bagages, ce qui ne lui demanda, hélas, pas plus de quelques minutes. Puis, elle prit une douche dans l'espoir de se délasser. Là, sous le jet brûlant, elle se répéta plusieurs fois qu'elle était folle.

En se glissant sous les draps, elle se le redit une dernière fois et se força à fermer les yeux.

Le lendemain matin, elle fut réveillée par les premiers pleurs de Christina qui réclamait son biberon. Après avoir câliné et changé la fillette, elle s'installa confortablement pour la nourrir. Tandis que la petite tétait goulûment son lait, elle lui caressait la joue avec tendresse. « C'est la dernière fois », ne put-elle s'empêcher de penser à cet instant.

Lorsque Christina eut achevé son biberon, elle l'installa confortablement dans son berceau avec quelques jouets. Avant d'aller se préparer à son tour, elle prit soin de mettre à jour le planning des repas et des siestes qu'elle avait conçu elle-même. Il lui sembla utile de le laisser bien en évidence sur la commode, à l'intention de la nurse.

Plus que quelques heures et ce serait les adieux. De bien cruels adieux… Si seulement elle parvenait à éviter Manolo au moment du départ !

Après s'être préparée et avoir rangé ses derniers effets dans sa valise, elle alla retrouver Christina qui babillait dans son petit lit. N'écoutant que son instinct, elle la prit dans ses bras et fit quelques pas en la berçant. L'enfant se blottit tendrement contre sa poitrine en gazouillant. C'en fut trop pour Ariane et, comme les larmes lui montaient aux yeux, elle déposa la fillette à plat ventre sur un tapis d'éveil, s'assit à ses côtés et la regarda jouer avec ses hochets.

Cette petite fille allait beaucoup lui manquer, mais pour être honnête, elle n'était pas la seule cause de son chagrin. C'était difficile à admettre, mais Manolo, en l'embrassant, avait causé bien des dégâts, lui aussi.

« Oublie tout ce qui s'est passé, se dit-elle, et fais comme si ce baiser n'avait été que le fruit de ton imagination. »

Ce fut à ce moment-là que Manolo entra dans la pièce. Rasé de près et les cheveux encore légèrement humides, il dégageait une sensualité sauvage difficile à ignorer. Cette impression était d'autant plus troublante que son costume trois pièces sombre accentuait quant à lui le raffinement de sa personne.

Bien malgré elle, Ariane ne put s'empêcher de songer à l'amant formidable qu'il devait être. Cet homme, à n'en pas douter, savait faire perdre la tête à une femme.

Bon sang, mais que lui prenait-il ?

— Bonjour, Ariane.

— Bonjour, répondit-elle en s'efforçant de sourire.

Avait-elle rêvé ou bien les yeux de Manolo s'étaient attardés sur elle plus longtemps que nécessaire ?

— Si vous n'avez pas encore pris votre petit déjeuner, je vais m'occuper de Christina, déclara-t-il gentiment.

Ariane ne se fit pas prier et sortit de la pièce aussitôt. Il n'essaya pas de la retenir.

Comme il faisait beau, elle décida de prendre son café sur la terrasse. Un peu d'air frais lui ferait certainement le plus grand bien.

Dehors, un soleil tiède caressait sa peau. Toutefois, ce matin, elle était indifférente à la beauté environnante. Dans l'espoir de se distraire, elle avait pris un journal, mais les lettres dansaient devant ses yeux.

— Bonjour Ariane.

La voix de Santos la fit sursauter.

— Oh, bonjour…

Le majordome lui adressa un regard interrogateur et, crut-elle, inquiet.

— Avez-vous l'intention de rester jusqu'à l'arrivée de la nurse ?

— A quelle heure l'attendez-vous ?

— Aux environs de 9 heures, je crois.

— Dans ce cas, je l'attendrai.

Ariane détourna le regard malgré elle. Attendre sa remplaçante lui coûtait, mais elle pourrait ainsi lui montrer elle-même le planning des biberons et des temps de repos de Christina.

Pour se donner une contenance, elle but quelques gorgées de jus d'orange et affecta de s'intéresser de nouveau à son quotidien.

Manolo apparut alors sur la terrasse. Comme il ne disait rien, elle se sentit obligée de parler.

— Merci beaucoup, déclara-t-elle en le regardant dans les yeux. Vous m'avez très bien reçue.

— Ce fut un plaisir, répondit-il avec douceur.

Troublée par les paroles de son hôte qui, au regard du baiser qu'ils avaient échangé, prenaient une signification très particulière, Ariane tenta de battre en retraite.

— Je vais donner des instructions en cuisine pour le déjeuner de Christina, marmonna-t-elle en se levant.

La nouvelle nurse se présenta à l'heure prévue. Santos se chargea des présentations. Revêtue d'un uniforme de gouvernante, la nouvelle arrivante arborait un sourire professionnel, mais peu chaleureux.

Un cri s'échappa du baby-phone et Santos montra le chemin de la nurserie à la nouvelle recrue. Cette dernière insista pour qu'Ariane les accompagne.

— Dans l'intérêt de l'enfant, il convient que vous me la présentiez, décréta-t-elle avec assurance. Vous la porterez avant de me la tendre. Ainsi, elle comprendra que c'est moi qui suis responsable d'elle à présent.

— *Elle* s'appelle Christina, ne put s'empêcher de faire remarquer Ariane.

— Oui, bien sûr.

L'idée de la nurse ne devait pas être si bonne car, lorsque Ariane lui présenta Christina, cette dernière éclata en sanglots.

— On dirait que ça ne marche pas très bien. Peut-être qu'il serait préférable de l'apprivoiser en jouant un peu avec elle ? suggéra Ariane, le cœur serré.

— C'est moi, la professionnelle, répliqua sèchement l'autre femme en maintenant l'enfant contre elle.

C'était indiscutable, mais en quoi cela lui interdisait-il de se montrer compréhensive et affectueuse ?

Comme si elle avait senti que des changements se préparaient, Christina se mit à pleurer plus fort en tournant la tête vers Ariane avec désespoir.

Ariane croisa le regard de Santos qui resta de marbre. La nurse reposa Christina dans son lit et commença à inspecter la pièce. La fillette sanglota de plus belle et, n'écoutant que son cœur, Ariane la saisit dans ses bras. Peu à peu, les pleurs du bébé s'apaisèrent.

— J'ai laissé le planning des repas sur la commode, déclara Ariane, en s'efforçant de dissimuler le tremblement de sa voix. Christina doit bientôt prendre son biberon, puis elle fera une sieste d'une heure et demie.

La nurse consulta l'emploi du temps et esquissa une moue.

— Hum… je vois. Il faudra que j'y apporte quelques modifications. Bien, vous pouvez me donner l'enfant.

Toujours avec le même sourire convenu, elle se tourna vers Santos.

— Vous pouvez monter mes bagages. Et quand la petite sera nourrie, je m'installerai.

Son sourire disparut lorsqu'elle prit Christina dans ses bras.

— Bien, je dois faire connaissance avec l'enfant maintenant, annonça-t-elle en se tournant vers Ariane. Il serait préférable que vous partiez.

L'« enfant » se mit à pleurer.

Ariane aurait voulu reprendre Christina, la serrer fort dans ses bras et envoyer cette maudite nurse au diable, mais elle n'en avait pas le droit.

En descendant l'escalier aux côtés de Santos, elle entendait encore les hurlements de la fillette. Le majordome était-il conscient qu'elle luttait de toutes ses forces pour ne pas fondre en larmes ? Seigneur, elle espérait que non !

Sa valise était déjà rangée dans le coffre de sa voiture. Tout ce qui lui restait à faire était de dire au revoir à Santos. Après lui avoir donné une poignée de main et adressé un faible sourire, elle s'engouffra dans le véhicule.

En franchissant le portail de la demeure de Manolo, elle se demanda si un cœur pouvait se briser pour de vrai.

Une semaine auparavant, elle aurait certainement répondu par la négative, mais rien ne lui semblait moins sûr à présent.

6.

De retour chez elle, Ariane comprit rapidement que languir ne l'avancerait guère. Aussi fit-elle tout son possible pour s'occuper. D'abord, elle entreprit de ranger de fond en comble son appartement qui n'en avait pas besoin, puis elle appela quelques amis qui s'offrirent aussitôt de la distraire. S'étourdir… tel était le mot d'ordre qu'elle s'était fixé.

Le dimanche, elle fit du bateau avec la bande de joyeux lurons qu'elle connaissait depuis des années. La petite équipée fut suivie d'un barbecue dans le jardin de l'un d'entre eux. Lorsqu'elle regagna son immeuble, il était près de 21 heures. Finalement, les activités de la journée lui avaient bien occupé l'esprit. Aussi ne songea-t-elle qu'à une chose en rentrant : prendre une douche, regarder un film et se coucher tout de suite après.

Elle commençait déjà à se déshabiller lorsque son regard fut attiré par son répondeur qui clignotait. Résignée, elle enclencha la cassette. Sept messages l'attendaient. Trois provenaient de Roger — « La routine », ne put-elle s'empêcher de penser —, l'un venait de Tony, les suivants de sa mère et de son frère.

Lorsqu'elle écouta le dernier, son cœur ne fit qu'un bond dans sa poitrine : c'était Santos qui la priait de le rappeler.

Elle hésita un bref instant, décrocha le combiné et composa le numéro qu'il lui avait indiqué. Santos lui répondit presque aussitôt et, après lui avoir demandé de ses nouvelles, déclara :

— Je vais vous passer M. del Guardo.

Croyant défaillir, Ariane serra instinctivement le combiné. L'attente fut de très courte durée.

— Bonsoir Ariane.

En reconnaissant la voix chaude et timbrée de Manolo, Ariane sentit un frisson courir le long de son dos.

— Oui ?

— J'aimerais vous voir ce soir.

Elle déglutit péniblement. Pourquoi diable souhaitait-il la rencontrer, et si vite ?

— Ecoutez…, commença-t-elle. Je ne crois pas que ce soit une très bonne idée.

— Je vous promets que ça ne prendra pas plus d'une heure. Je passe vous chercher dans un quart d'heure.

Une bouffée de panique envahit Ariane. Dans quinze minutes ! Elle avait à peine le temps de se rendre présentable !

— Disons plutôt dans une demi-heure, répliqua-t-elle. Je vous retrouverai dans le hall de l'immeuble. C'est…

— Je sais où c'est. A tout à l'heure.

Il raccrocha sans lui laisser le temps d'ajouter un mot. Que lui voulait-il ? A vrai dire, ce n'était pas si difficile à deviner. Il était certainement question de la petite Christina et de sa nurse « professionnelle ».

Fébrile, elle se précipita sous la douche où elle se lava les cheveux à la hâte. Si Manolo voulait qu'elle remplace de nouveau sa nurse, elle refuserait certainement. Vivre sous le même toit que cet homme serait une pure folie. D'ailleurs, la solution la plus sage était de l'appeler tout de suite pour annuler le rendez-vous. Certes, mais il était certainement déjà en route… Et puis, à la vérité, elle n'était pas sûre d'avoir la force de le décommander.

Bon sang, pourquoi avait-elle accepté ? La raison en était simple : Manolo avait misé sur l'effet de surprise et ne lui avait pas laissé le temps de refuser.

« Tant pis, résolut-elle, il ne me reste plus qu'à lui expliquer calmement que je n'ai pas l'intention de retourner chez lui. » Il ne lui restait plus qu'à espérer que ce ne serait pas trop dur…

En sortant de la salle de bains, elle revêtit un pantalon de soie noire et un petit haut sans manches assorti. Des escarpins effilés venaient compléter sa tenue. Elle noua rapidement ses cheveux humides en un chignon flou et rehaussa l'éclat de son teint par une légère touche de blush. Après avoir jeté un dernier coup d'œil dans le miroir de l'entrée, elle sortit de chez elle.

Manolo l'attendait dans le hall de l'immeuble. En reconnaissant sa silhouette, elle se sentit faiblir. De près comme de loin, il dégageait une aura incroyable, un pouvoir d'attraction sans pareil.

« Du calme », se dit-elle en sentant son cœur s'emballer. Elle allait se montrer chaleureuse et polie… en un mot : amicale. C'était tout à fait à sa portée.

— Ma voiture est par là, dit-il en désignant une élégante Aston Martin, garée sur le parking des invités.

Dans l'intimité du véhicule, la proximité de Manolo était un véritable supplice et l'arôme subtilement musqué de son aftershave mettait ses sens aux abois.

Le souvenir du baiser qu'ils avaient échangé lui revint — fort mal à propos — à la mémoire. Elle se rappela la douceur de ses lèvres contre les siennes et la difficulté de s'arracher à cette étreinte.

Le trajet se fit en silence, si bien qu'Ariane fut soulagée lorsqu'il arrêta l'Aston Martin devant le plus prestigieux hôtel de la ville. En reconnaissant Manolo, le voiturier s'inclina et s'empressa de saisir les clés du véhicule.

Dans le restaurant où ils devaient prendre un café, le directeur lui-même les conduisit jusqu'à un petit salon privé.

— Je préfère autant que nous soyons tranquilles, déclara-t-il en s'adossant nonchalamment au dossier de son fauteuil.

Puis il commanda deux cafés au serveur. Ce dernier revint presque aussitôt avec deux tasses, une cafetière, de la crème et un assortiment de petits-fours ; il les servit et s'éloigna prestement.

Ariane prit un sucre et le mélangea longuement au café sans prononcer un mot.

— Vous ne dites rien, fit-il remarquer.

S'attendait-il à ce qu'elle l'entretienne de la pluie et du beau temps ?

— Vous pourriez peut-être m'expliquer pourquoi nous sommes ici ? répondit-elle en soutenant son regard.

A son tour, il fit tourner sa cuiller dans sa tasse.

— Faut-il vraiment qu'il y ait une raison ?

Elle ne doutait pas un seul instant que, chez cet homme, rien n'était gratuit.

— Oui.

— Vous êtes perspicace, fit-il remarquer, un semblant d'ironie dans la voix. Eh bien puisqu'il faut vous donner une raison, en voici une : vous avez renvoyé le chèque que je vous avais fait parvenir.

— Vous saviez très bien que je le ferais.

Manolo sortit une enveloppe de sa veste et la posa sur la table.

— J'insiste pour que vous acceptiez.

Ariane réprima une violente envie de l'insulter. Au lieu de cela, elle saisit l'enveloppe et, calmement, la déchira. Puis elle repoussa les morceaux du côté de Manolo.

Celui-ci esquissa un sourire indolent.

— Je peux en faire un autre.

— Je ne me suis pas occupée de Christina pour l'argent que vous étiez disposé à m'offrir, dit-elle d'une voix blanche.

Mais, en dépit de sa colère, elle ne put s'empêcher de demander :

— Comment va-t-elle ?

Manolo resta impassible, mais l'éclat de ses yeux parut s'éteindre quelques instants, laissant place à une expression de tristesse.

— Depuis votre départ, elle ne cesse de pleurer.

— J'en suis désolée, murmura Ariane, qui sentit son cœur se serrer à cette nouvelle.

Pauvre petite princesse, privée de l'affection dont elle avait tant besoin, songea-t-elle en baissant les yeux.

— Je sais que vous êtes sincère, répondit Manolo en lui adressant un sourire amer. Pour tout vous dire, la nurse est partie. D'après elle, Christina est une enfant très difficile qui requiert l'attention de spécialistes…

— Quelle bêtise ! s'exclama Ariane avec véhémence. Ce dont Christina a besoin, c'est de quelqu'un qui l'aime. Toutes ces nurses — ces prétendues professionnelles — ne lui ont pas apporté l'affection nécessaire. La petite a besoin de quelqu'un qui reste en permanence avec elle, de quelqu'un qui l'accompagne durant son enfance et… plus tard encore.

— Je suis entièrement d'accord avec vous, déclara Manolo. Je suis donc parvenu à la conclusion qui s'impose : il est indispensable que je me remarie.

En entendant ces mots, Ariane sentit un poids énorme s'abattre sur sa poitrine.

— Félicitations, parvint-elle néanmoins à dire.

— Vous allez un peu vite, rétorqua Manolo. Je n'ai pas encore fait ma demande.

Dans un effort surhumain pour paraître détachée, Ariane s'adossa à sa chaise avec nonchalance.

— Qui que ce soit, je suis certaine qu'elle dira oui, commenta-t-elle froidement.

— Vous dites ça à cause du train de vie que je pourrais lui offrir ? s'enquit-il d'un ton moqueur.

— Pour la plupart des femmes, c'est un argument décisif, reconnut-elle.

— Mais pas pour vous ?

— Non, l'argent n'est pas ce qui compte le plus à mes yeux.

— Voilà bien les propos de quelqu'un qui n'en a jamais manqué !

— Je n'ai manqué de rien, c'est vrai. Mais croyez-moi, mes parents ne nous ont pas pourris. J'ai dû travailler pour m'offrir ma première voiture. J'ai toujours eu conscience de la valeur de l'argent.

— Dans ce cas, je m'incline, murmura Manolo. Mais dites-moi, si l'argent n'est pas ce qui compte le plus, qu'est-ce qui est important à vos yeux ?

Ariane n'eut pas à réfléchir.

— La loyauté, l'intégrité… l'amour.

Il la regarda intensément.

— Voilà ce qui ne m'a jamais été donné, dit-il d'une voix à peine audible avant d'ajouter : votre ex-mari vous cause-t-il toujours autant de soucis ?

— Pardonnez-moi, mais je ne vois pas le rapport.

Il ignora sa remarque.

— Vous rendez-vous compte qu'en tant que journaliste de télévision vous êtes sans cesse exposée à son regard, via le petit écran ?

— Oui, comme tous mes collègues. Cela n'a rien d'extraordinaire.

— Sans doute, mais vous êtes devenue une obsession pour cet homme, ce qui n'est pas le cas de vos consœurs.

— C'est vrai, cependant je ne vois toujours pas où vous voulez en venir.

— N'avez-vous jamais songé à un changement de carrière ?

— Tel que ?

— Le mariage ?

— Pas vraiment ! Pourquoi répéter la même erreur ?

— Pourtant, le mariage vous apporterait une certaine sécurité, non ?

— De quoi parlez-vous ? Du statut social ou de la sécurité affective ?

— De cela, oui… mais pas seulement. Vous n'avez jamais envisagé de fonder une famille ?

En entendant ces mots, Ariane ressentit une violente douleur au creux de la poitrine.

— J'ai déjà songé à adopter, en tant que mère célibataire, seulement comme je suis obligée de travailler, l'enfant serait confié à une nounou le plus clair du temps.

— C'est ce que font beaucoup de mères, déclara Manolo.

— Peut-être, mais ce n'est pas ce que je désire. Encore, si j'avais d'autres horaires de travail, mais à la télévision vous savez… Enfin bref, j'ai renoncé à l'idée d'adopter un enfant.

— Je vois… Pour en revenir à Christina, nous sommes tous les deux d'accord pour dire qu'elle a besoin d'une mère.

— Certes.

— Je vous propose donc de devenir la sienne, lança-t-il en plantant son regard dans le sien.

Elle le dévisagea sans comprendre.

— Et de m'épouser, naturellement, ajouta-t-il en s'adossant de nouveau au dossier de son fauteuil.

— Vous êtes fou, répondit-elle froidement.

— Vous croyez ?

— Mais, enfin pourquoi me proposer le mariage ? demanda-t-elle en manquant s'étrangler.

— Je veux une mère pour ma fille. Quelqu'un qui l'aimera comme son propre enfant. Christina vous adore et je sais que vous l'aimez beaucoup, vous aussi.

— Et c'est ce qui fait de moi une épouse idéale ?

— Vous retirerez de grands avantages à être ma femme. Je vous verserai deux millions de dollars par an tant que vous resterez mon épouse. Votre compte courant sera régulièrement approvisionné, et vous verrez que je suis généreux. Et je ne parle même pas des bijoux et autres cadeaux auxquels vous aurez droit. Nous établirons un contrat de mariage qui vous assurera une rente confortable en cas de divorce.

Ariane n'en croyait pas ses oreilles. L'espace d'un instant, elle se demanda si elle n'était pas en train de rêver. Cet homme devait avoir perdu la raison ! Surmontant le sentiment d'effroi qui venait de s'emparer d'elle, elle reprit la parole.

— Et en échange de toutes ces « merveilles », vous obtiendrez une mère pour votre fille, une maîtresse de maison et… une maîtresse tout court ! Et tout cela, écrit noir sur blanc, comme… comme pour un contrat d'affaires.

— Reconnaissez que c'est une offre intéressante, dit-il en souriant.

La coupe était pleine pour Ariane qui se leva brusquement.

— Elle l'était avant que vous ne la présentiez comme un arrangement financier, dit-elle d'une voix blanche.

La main de Manolo se referma sur son poignet.

— Je n'ai pas fini.

— Moi si !

— Je vous en prie, asseyez-vous, insista-t-il avec douceur.

Sans trop comprendre pourquoi, sans doute parce que ses jambes ne la portaient plus, elle lui obéit.

— Ecoutez, cette conversation n'a que trop duré, murmura-t-elle sans parvenir à soutenir son regard.

— Christina a besoin de vous.

— Vous me faites du chantage affectif ! protesta-t-elle, tout en songeant qu'elle aussi avait besoin de l'enfant. N'importe quelle femme aimante pourrait s'occuper d'elle.

— Non, c'est de vous qu'elle a besoin, insista Manolo. Ne vous fâchez pas, Ariane. Tout ce que je vous propose, c'est un mariage fondé sur l'amitié et le respect mutuel.

Amis et amants… L'idée de se retrouver dans son lit suffisait à la plonger dans le plus grand trouble. Seigneur ! Que se passait-il ? Tout allait si vite !

— Récapitulons, déclara-t-elle. Dans cette histoire, vous gagnez une mère pour Christina et moi, la fille que je n'aurais pu avoir. Et il ne s'agit que de cela, n'est-ce pas ? Avec vous, au moins, il n'y a pas de faux espoirs.

— Exactement.

Pouvait-elle accepter un marché pareil ? Serait-elle assez déraisonnable pour changer ainsi le cours de son existence ?

— Je voudrais du temps pour réfléchir.

— Bien entendu. Je vous appellerai demain.

Le cœur d'Ariane se mit à battre la chamade.

— Qu'une chose soit bien claire, ajouta-t-elle.

— Je vous écoute.

— Votre argent ne m'intéresse pas. J'ai toujours réussi à me débrouiller toute seule. Comprenez bien que si jamais — je dis bien *si jamais* — je devais accepter votre proposition insensée, ce ne serait pas pour l'argent que vous pourriez m'offrir.

Profondément bouleversée, elle voulut mettre un terme à l'entretien et se leva. Il était grand temps de fuir si elle ne voulait pas se mettre à pleurer devant lui.

— Je rentre, murmura-t-elle en saisissant son sac à main.

— Je vous raccompagne.

— Non, ce ne sera pas la peine. Je vais prendre un taxi.

Et sans lui laisser le temps de répondre, elle se précipita vers la sortie.

Cette nuit-là, elle dormit fort peu. Le lendemain matin, elle s'éveilla avec une migraine terrible, ce qui n'était guère surprenant au regard du choc qu'elle avait reçu la veille.

Heureusement, un emploi du temps chargé l'attendait au bureau. Après quinze jours de vacances, elle avait un grand nombre de papiers à classer et moult coups de téléphone à passer. La journée fut tellement remplie qu'elle put s'étourdir dans le travail sans avoir à penser à la folle proposition de Manolo.

Il était 19 heures passées lorsqu'elle gara sa voiture dans le parking de son immeuble. Pour l'heure, sa priorité était de boire un grand verre de jus de fruit et de prendre une douche. Elle aurait toujours le temps de réfléchir plus tard.

Mais, au moment de claquer la portière, quelle ne fut pas sa surprise d'apercevoir Manolo qui sortait de son Aston Martin !

Stupéfaite et consternée, elle s'immobilisa.

— Vous avez passé une mauvaise journée ? s'enquit-il en la rejoignant en quelques enjambées.

— Vous n'imaginez même pas, répondit-elle après s'être éclairci la gorge.

— Avez-vous dîné ?

— Non.

— Tant mieux, moi non plus. On prend ma voiture ou la vôtre ?

— Ecoutez, je ne crois pas que ce soit une très bonne idée…, balbultia-t-elle, consciente de ne pas être très convaincante.

Comme prévu, Manolo ne tint pas compte de ses objections.

— J'ai repéré un restaurant italien qui m'a semblé agréable. Ce n'est pas très loin d'ici. Qu'en dites-vous ?

— Je... je ne sais pas, répondit-elle, un peu sonnée.

Une fois de plus, elle avait l'impression de ne plus du tout diriger le cours des événements.

— Très bien ! Dans ce cas, je vous propose de me suivre en voiture. C'est tout aussi simple et... rassurant pour vous.

A ces mots, Ariane se sentit rougir jusqu'aux oreilles. Manolo lui prit des mains les clés de sa voiture et ouvrit la portière à sa place. Puis, il attendit qu'elle soit installée pour la refermer.

Durant le trajet, Ariane songea à la journée abominable qu'elle venait de passer. Elle n'avait cessé de peser le pour et le contre de la proposition de Manolo pour prendre finalement la seule décision possible. Mais quelle décision !

Quelques minutes plus tard, ils entrèrent dans le restaurant. Le lieu était chaleureux et les patrons s'empressèrent de leur dresser une jolie table, à l'abri des regards indiscrets.

Malgré cela, Ariane se sentait affreusement nouée. Elle aurait aimé pouvoir dire quelque chose pour meubler l'embarrassant silence qui les enveloppait, mais se trouvait dans l'incapacité de prononcer le moindre mot.

Finalement, ce fut Manolo qui mit fin à ce mutisme.

— Eh bien, c'était votre premier jour de retour au travail et vous êtes déjà sur les nerfs, fit-il remarquer avec un sourire indolent.

— Ça se voit donc tant que ça ?

— Non, rassurez-vous. Mais comme vous êtes rentrée tard, j'imagine que votre journée a été chargée.

Ne trouvant rien à répondre, elle but quelques gorgées d'eau glacée. Le serveur arriva alors avec leurs plats : d'exquises bruschettas suivies de tortellini au jambon de Parme.

— Je propose que nous mangions d'abord, déclara Manolo, comme pour suggérer implicitement qu'il n'était pas encore temps d'aborder le cœur du problème.

— On se contente d'une discussion entre gens de bonne compagnie ? répondit-elle avec ironie.

— Exactement.

— Très bien, racontez-moi votre journée dans ce cas.

— J'avais plusieurs réunions à Adélaïde ce matin, suivies de quelques rendez-vous cet après-midi.

— Et je parie que vous avez encore conclu de belles affaires ?

— Oui. Et vous, parlez-moi un peu de votre journée.

Ariane s'exécuta, en se gardant bien de lui dire qu'elle n'avait pensé qu'à lui et à sa proposition.

Lorsqu'ils eurent terminé leurs plats, le regard de Manolo changea subitement. Le moment qu'elle avait redouté toute la journée arrivait enfin. La scrutant avec attention, il demanda :

— Avez-vous songé à notre marché ?

— Oui.

— Et ?

— J'accepte, à quelques conditions…

— Lesquelles ? s'enquit Manolo sans ciller.

— Je suis prête à accepter une rente mensuelle.

— Nous en avions déjà parlé. C'est entendu.

— Une petite fraction du montant que vous aviez proposé sera largement suffisante.

— Continuez…

— Je tiens également à signer un contrat de mariage stipulant clairement que Christina sera l'unique héritière de tous vos biens. En ce qui me concerne, et si nous divorçons, je demande une maison et les moyens de subvenir à mes besoins.

— Je me suis déjà occupé de tout cela. Est-ce tout ?

— Non. Je vous serai fidèle. J'attends que vous le soyez également.

— Bien sûr.

Etonnée d'avoir énoncé ses conditions avec tant d'aplomb, Ariane se trouva subitement à court d'inspiration.

— A vous…, bredouilla-t-elle.

— Je n'ai rien à ajouter de plus. Passons aux aspects pratiques de la chose, si vous voulez bien. J'ai contacté le célébrant qui accepte de nous marier vendredi, à la maison.

Heureusement qu'elle était assise !

— Ce vendredi ? s'exclama-t-elle avec incrédulité.

— Ce sera très simple, vous savez. Un mariage dans la plus stricte intimité, comme on dit.

— Vous plaisantez ?

— Pas le moins du monde.

— Mais… mais…, protesta-t-elle. C'est dans trois jours — quatre si l'on compte vendredi. On ne pourra pas tout organiser.

— Mais si, faites-moi confiance. Je me charge des papiers. Santos vous aidera à régler tous les détails concernant votre appartement, vos bagages et autres ; il serait sans doute plus simple que vous déménagiez jeudi… ou même avant si vous arrivez à faire plus vite.

La tête d'Ariane lui tournait de plus en plus. D'un geste lent, elle porta la main à sa tempe et ferma les yeux. Seigneur, les événements se précipitaient ! Etait-elle sûre, au moins, d'avoir fait le bon choix ?

— Ça va trop vite…, dit-elle d'une voix plaintive.

— Ayez confiance en moi. Tout ira très bien.

7.

Grâce au sens aigu de l'organisation de Santos, tout fut réglé à temps. Les trois jours qui précédèrent le vendredi furent très remplis pour Ariane qui dut se coucher très tard et se réveiller à l'aube pour s'acquitter de toutes ses tâches.

Elle dut faire promettre à ses parents — qui avaient été prévenus trop tard pour faire le déplacement — de lui rendre visite à Noël. Heureusement, son frère Alex avait pu s'arranger pour arriver de Hong Kong le vendredi matin avant de s'envoler pour New York le lendemain. Aussi ne serait-elle pas complètement seule.

Décider de sa tenue ne fut pas une mince affaire. Mais, après avoir longuement hésité, son choix s'était finalement porté sur un long fourreau de soie ivoire et des escarpins assortis. Des boucles d'oreilles et un collier de perles complétaient sa toilette. Ses cheveux, torsadés en chignon, rehaussaient son port de reine.

En descendant, au bras de son frère, le grand escalier de la demeure de son futur époux, Ariane se sentit gagnée par la magie de l'instant, même si elle était bien placée pour savoir qu'il ne s'agissait pas d'un mariage d'amour.

Manolo l'attendait en bas des marches. Revêtu d'un habit anthracite, d'une chemise blanche et d'une lavallière de soie, il était beau à couper le souffle. Lorsqu'il lui offrit son bras pour la guider, elle fut envahie par le trac.

La cérémonie eut lieu dans la véranda en présence des deux témoins : Santos — qui portait Christina dans ses bras — et Alex. La pièce avait été fleurie avec goût et l'arôme délicat des roses parfumait discrètement l'atmosphère.

A la grande surprise d'Ariane, Manolo lui passa deux bagues au doigt : une alliance en diamants et une magnifique bague de fiançailles, ornée d'un gigantesque saphir. Au moment de passer à son tour l'alliance au doigt de son époux, sa main tremblait d'émotion. C'était un mariage arrangé, certes, mais elle venait néanmoins de sceller son destin.

Lorsque le maître de cérémonie eut déclaré qu'ils étaient désormais unis par les liens du mariage, Manolo déposa un baiser sur ses lèvres.

Troublée, Ariane dut se rappeler une nouvelle fois qu'il ne s'agissait pas d'un mariage romantique, mais de la concrétisation légale du contrat qu'elle avait « signé ».

Et pourtant, le soir même, elle allait partager le lit de cet homme ! A cette seule idée, elle était bouleversée…

Lorsque les registres furent signés, on leur apporta des coupes de champagne puis, après le départ du célébrant, Ariane prit le temps de nourrir Christina et de la coucher avant de rejoindre les autres. Un domestique vint alors annoncer que le dîner était servi.

Les époux et leurs témoins partagèrent un repas d'un raffinement exquis, arrosé du plus merveilleux champagne qu'Ariane avait jamais goûté.

A la fin de ce festin, elle prit son frère à part.

— Et dire que tu repars demain ! lui dit-elle sur un ton de reproche. Tu pourrais au moins rester pour le week-end.

— Ecoute, petite sœur chérie, tu sais que je t'adore, mais franchement, tu auras mieux à faire ce week-end que bavarder avec ton vieux frère, répondit Alex en riant. Mais ne t'inquiète pas, nous nous reverrons à Noël, avec les parents.

La soirée s'acheva avec le café, qu'ils prirent au petit salon. Santos fut le premier à s'éclipser, suivi de peu par Alex qui fit appeler un taxi. En serrant son frère dans ses bras, Ariane se sentit en proie à une violente émotion. Cela faisait longtemps qu'elle n'avait pas vu Alex et sa présence à ses côtés l'avait profondément touchée, même si ce mariage était loin d'être conforme à l'idée qu'elle s'en était toujours fait.

Au côté de Manolo, elle regarda le taxi s'éloigner. La journée était terminée, mais il leur restait à présent toute la nuit… Serait-elle capable d'accomplir son rôle d'épouse jusqu'au bout ? Elle craignait d'être gauche au moment fatidique, ou pire, paralysée par la peur. Les maîtresses habituelles de Manolo ne devaient pas être aussi effarouchées qu'elle.

De retour à la maison, Manolo lui demanda :

— Un peu plus de champagne ou de café ?

— Non merci, répondit-elle, la gorge sèche. Je vais aller voir si Christina dort bien.

— Je viens aussi.

Quelle heure pouvait-il bien être ? se demanda-t-elle. Minuit ? Cela avait-il encore de l'importance ?

Dans la nurserie, ils se penchèrent en même temps sur le berceau de l'enfant endormie. Et, déjà, cette proximité était un supplice pour Ariane.

Leur chambre se trouvait au bout du couloir. A vrai dire, avec ses deux gigantesques dressings et sa salle de bains, il s'agissait davantage d'une suite. A l'idée de partager son lit avec Manolo, Ariane se sentait au bord de la crise de panique.

Serait-elle à la hauteur ? se demanda-t-elle une fois encore. En cet instant solennel et angoissant, elle repensa aux reproches incessants de Roger. Son ex-mari l'avait constamment accusée de ne pas le satisfaire sexuellement.

Ces derniers jours, bien heureusement, elle s'était débarrassée de son répondeur et de son fax, ce qui avait considérablement diminué le nombre de messages injurieux.

— La journée a été rude pour toi, déclara Manolo en posant sa veste sur un fauteuil.

— Oui, reconnut-elle.

Son regard fut alors attiré par la bague qu'elle portait désormais à son doigt. Le saphir étincelait de mille feux au moindre de ses mouvements.

— La bague est magnifique…, murmura-t-elle timidement. Je veux dire, les deux bagues.

— C'était un plaisir de te les offrir.

Et bientôt, ce serait à son tour à elle de lui offrir du plaisir, ne put-elle s'empêcher de songer. Elle pouvait peut-être prétexter une migraine pour remettre l'inévitable au lendemain ? Mais à quoi bon ?

Avec une déconcertante décontraction, Manolo dénoua sa lavallière et déboutonna sa chemise. En découvrant son torse parfaitement musclé, Ariane sentit son trouble redoubler. Seigneur ! Cet homme était beau comme un dieu ! Lorsqu'il s'apprêta à retirer la ceinture de son pantalon, elle éprouva le soudain besoin de fuir.

— Je vais aller me démaquiller, annonça-t-elle précipitamment.

Dans la salle de bains, elle ôta ses souliers et laissa glisser le fourreau le long de ses jambes. Après l'avoir suspendu à un cintre, elle revêtit le déshabillé de soie blanche qu'elle avait installé le matin même dans la penderie.

Elle prit une inspiration profonde et entra de nouveau dans la chambre.

Manolo fit son apparition au même moment. Elle découvrit alors avec stupéfaction qu'il sortait d'une autre salle de bains.

— Oh, je pensais que…

— Que nous allions partager la même salle de bains ?

A ce moment-là, elle s'aperçut qu'il ne portait qu'une simple serviette enroulée autour de ses hanches. Ne sachant plus où regarder, Ariane examina les lieux, cherchant désespérément une contenance.

— Tu n'as aucune raison d'être nerveuse, déclara-t-il d'une voix douce.

Elle sentit le rose lui monter aux joues.

— C'est que…, commença-t-elle d'une voix hésitante. Je ne suis pas très douée pour… ça.

Il se rapprocha d'elle.

— Et puis-je savoir qui t'a mis cette idée dans la tête ? s'enquit-il. Laisse-moi deviner, c'est ton ex, n'est-ce pas ?

Jamais elle n'avait autant souhaité disparaître sous terre !

— Euh oui… Comment dire… ? Il répétait que je n'étais pas à la hauteur.

Voilà, c'était dit. Manolo savait tout. Comment allait-il réagir à présent ? La réponse ne se fit pas attendre longtemps. S'approchant plus près encore, il promena doucement son doigt le long de sa joue, puis remonta près de son oreille. Elle ne put réprimer un frisson.

— Il disait cela ? murmura-t-il en ôtant une à une les épingles de son chignon.

Quelques secondes plus tard, ses cheveux tombaient en cascade le long de son dos. Tout en approchant les lèvres de son front pour y déposer un baiser, Manolo passa la main dans sa chevelure pour en libérer les boucles.

Immobile et tremblante, Ariane osait à peine respirer. Elle sentit la bouche virile de son mari glisser de ses tempes jusqu'à la commissure de ses lèvres.

Enivrée par le parfum sensuel et raffiné de sa peau, elle ferma les yeux de volupté. Il s'empara alors de ses lèvres avec douceur et fermeté.

Son déshabillé tomba à terre sans qu'elle y prête la moindre attention. La tête rejetée en arrière, abandonnée aux délicieuses sensations que Manolo faisait naître sur sa peau, elle le laissa descendre le long de son cou jusqu'à la base de ses seins. Instinctivement cambrée, comme pour mieux s'offrir, elle poussa un petit cri de délice lorsqu'il happa un téton durci de désir. Emportée par le plaisir que cette caresse lui procurait, elle plongea les mains dans la chevelure de son amant en gémissant. La douceur de sa langue était insoutenable… Bientôt, elle s'entendit le supplier d'arrêter.

Il ne lui obéit que pour reconquérir sa bouche dans un baiser ardent. Puis, sans cesser de l'embrasser, il la porta sur le lit.

Là, étendue sur le dos, elle le laissa semer de petits baisers sur son ventre et glisser avec une lenteur insupportable jusqu'au plus secret de son intimité. Cette caresse, la plus troublante qu'elle puisse imaginer, la transporta dans une contrée inconnue. Ses gémissements s'intensifièrent pour se transformer en cris de jouissance.

Des larmes d'émotion perlèrent à ses yeux pour aller se perdre dans le flot de ses cheveux.

Manolo s'étendit alors sur elle et prit possession de son corps. Il la pénétra doucement et profondément, lui arrachant de nouveaux soupirs de volupté. Lentement, il se mit à bouger en elle. Leurs mouvements s'accordèrent aussitôt pour gagner en fougue. Portée par ce rythme ensorcelant, Ariane eut tout juste le temps de deviner qu'un plaisir plus grand, volcanique, l'attendait avant d'y succomber dans une ultime convulsion. Manolo la rejoignit dans l'extase, mêlant son plaisir au sien dans un glorieux abandon.

Lorsqu'ils recouvrèrent leurs esprits, quelques minutes plus tard, le temps semblait être suspendu. Manolo roula sur le côté pour contempler le visage d'Ariane. Il aperçut une larme qui perlait au coin de l'œil de la jeune femme. Inexplicablement ému et attendri, il déposa un baiser sur ses lèvres. Entre eux, il n'y avait eu aucun artifice, aucun mensonge.

Détaillant le beau visage pâle de sa compagne, il y lut aussi la fatigue, l'épuisement même. Son instinct lui disait qu'elle avait dû lutter contre ses craintes pour s'offrir à lui comme elle l'avait fait.

Sans un bruit, il sortit du lit et se dirigea vers la salle de bains pour remplir le spa. Puis, il entra de nouveau dans la chambre pour prendre Ariane dans ses bras et la porter jusqu'à la baignoire.

Il la posa délicatement avant de la rejoindre dans l'eau bouillonnante.

Ariane était au paradis. Le bien-être qu'elle ressentait lui donnait l'impression de flotter. Jamais elle n'avait pensé découvrir un jour un plaisir aussi absolu que celui que Manolo lui avait fait ressentir. Elle comprenait à présent l'ardeur des poètes et des écrivains à louer les plaisirs des sens. Jusqu'à ce soir, elle avait sincèrement pensé qu'il s'agissait d'une exagération de leur part.

— Merci, murmura-t-elle en se tournant vers Manolo.

— Pourquoi ?

— Pour m'avoir montré la différence, répondit-elle simplement.

Il lui caressa doucement la joue.

— Tu as besoin de dormir, décréta-t-il en sortant du spa.

Il saisit un drap de bain, l'aida à se relever et l'enroula dans la moelleuse épaisseur du tissu en éponge. Elle se sécha rapidement et regagna la chambre, enroulée dans sa serviette car elle ne se sentait encore suffisamment d'audace pour avancer nue devant Manolo.

A l'évidence, il n'avait pas la même pudeur et n'hésitait pas à déambuler devant elle dans le plus simple appareil. Il fallait reconnaître qu'il était bâti à la perfection et que beaucoup d'hommes auraient pu jalouser sa grande taille, ses longues cuisses musclées, ses hanches étroites et ses fesses dignes de celles d'une statue grecque.

Tous deux s'étendirent sur le grand lit et Manolo rabattit le drap sur elle. Délicieusement détendue, Ariane ferma les yeux, prête à sombrer dans le sommeil. Il était si bon d'être allongée à côté de Manolo. Désormais, elle était sa femme et la belle-mère de sa fille. Et, chose merveilleuse, ils s'accordaient parfaitement sur le plan sexuel.

Mais attention, l'avertit la petite voix de sa conscience, il ne fallait pas confondre cela avec une émotion plus riche et plus profonde. Le plaisir et l'amour étaient deux choses différentes.

Et il n'était nullement question d'amour dans le contrat qu'elle avait signé.

8.

Le lendemain matin, lorsque Ariane s'éveilla, Manolo n'était pas à ses côtés. Croyant qu'elle le retrouverait sans doute à la salle à manger, elle descendit prestement.

Mais ce fut Santos qu'elle croisa.

— Votre mari a reçu un appel d'un client tôt ce matin, expliqua-t-il. Celui-ci arrive de Londres et ne doit rester que quelques heures à Sydney. Du coup, Manolo passera le plus clair de son temps avec lui aujourd'hui.

« À quoi t'attendais-tu ? se dit-elle. Qu'après la nuit fabuleuse que vous avez passée ensemble il serait à tes côtés à ton réveil ? Reviens sur terre et vite ! Manolo est un homme d'affaires avant tout, ne l'oublie jamais. »

Elle avait été éblouie par le plaisir qu'il lui avait fait découvrir, mais rien ne permettait de croire qu'il partageait son émerveillement. Après tout, il avait peut-être trouvé qu'elle manquait d'expérience.

— Vous prendrez un café ? s'enquit Santos.

— Oui, avec grand plaisir, répondit-elle d'une voix absente.

— Ah oui ! Manolo m'a chargé de vous dire que vous étiez tous les deux invités à un bal de charité ce soir. Si vous pouviez être prête à 19 heures, ce serait parfait.

— Un bal de charité ! s'exclama-t-elle. Déjà ? Mais qui s'occupera de Christina ?

— Ne vous inquiétez pas, je garderai la petite. Ce ne sera pas la première fois.

Ariane n'en croyait pas ses oreilles. Cela faisait à peine vingt-quatre heures qu'ils étaient mariés et ils devaient déjà se rendre à des mondanités !

— J'imagine qu'il n'est pas question que Manolo y aille seul ? demanda-t-elle en soupirant.

— Vous avez vu juste.

Dans ce cas, il ne lui restait plus qu'à songer à la tenue qu'elle allait porter à cette occasion. Cette perspective ne l'enchantait guère, mais elle tenait à se montrer sous son meilleur jour pour sa première apparition dans le monde.

Le soir venu, Santos se chargea du repas de Christina afin de lui laisser tout le temps nécessaire pour se préparer.

Comme elle possédait plusieurs robes longues, elle n'eut qu'à choisir celle qui lui semblait la plus adaptée pour l'occasion. En se glissant dans son fourreau de soie prune, dont le décolleté asymétrique rehaussait la perfection de ses épaules, elle sut qu'elle avait fait le bon choix. Elle glissa ses pieds dans des escarpins à talons hauts, vérifia une dernière fois sa coiffure et son maquillage et partit rejoindre Manolo qui l'attendait au petit salon.

Elle ne l'avait pas vu depuis la veille, aussi se sentit-elle étrangement émue de se retrouver face à lui.

— Tu me fais commencer sur les chapeaux de roues, déclara-t-elle aussitôt.

— J'avais ces invitations depuis plusieurs semaines déjà, répondit-il avec un sourire désinvolte.

— *Ces* invitations, reprit-elle. Quelle femme ai-je donc supplantée ?

Elle regretta instantanément sa question.

— Je ne vois pas ce que tu veux dire.

Pourtant, se dit-elle, il se serait certainement rendu à ce bal accompagné. A maintes reprises, elle l'avait vu en photo en feuilletant la presse mondaine, tenant à son bras de magnifiques créatures.

— Et si nous y allions ? suggéra-t-elle en prenant un air dégagé.

Quelques minutes plus tard, l'Aston Martin quittait l'imposante demeure. C'était une belle soirée estivale et, lorsqu'ils arrivèrent devant l'hôtel, le soleil avait laissé place à une douce lueur bleutée.

La soirée était organisée au profit d'une association en faveur de l'enfance défavorisée. Comme de coutume, les gens les plus huppés de la ville y étaient attendus.

Ariane songea qu'elle n'avait aucune raison de se sentir nerveuse. En tant que vedette du petit écran, elle était habituée à ce type d'événement. Malgré cela, elle était parfaitement consciente que, ce soir-là, tous les regards se tourneraient dans sa direction.

Et de fait, leur entrée dans la salle de réception ne passa pas inaperçue ; beaucoup de femmes la regardèrent avec étonnement et curiosité.

— Chéri ! Te voilà enfin !

Ariane se retourna en direction de la voix sucrée qu'elle venait d'entendre. Une grande et belle femme se fraya un chemin jusqu'à eux. Ses longs cheveux noirs, qu'elle portait détachés, venaient caresser le bas de son dos et son teint était d'une blancheur de porcelaine. Lorsqu'elle ne fut plus qu'à un mètre d'eux, Ariane dut reconnaître qu'elle était magnifique et maquillée à la perfection.

Curieusement ses traits lui étaient familiers, ainsi que sa voix, d'ailleurs.

— Bonsoir Valentina, dit Manolo.

Bien sûr ! songea Ariane. Valentina Vaquez ! Chanteuse, actrice et aussi mannequin à ses heures. Et si elle en croyait ce que lui avait raconté Tony, qui avait eu l'occasion de filmer la belle jeune femme, celle-ci se comportait en vraie diva.

— Manolo, vilain, susurra-t-elle en effleurant de la main le revers de sa veste de smoking, tu n'as pas répondu à mes messages.

Puis elle se tourna vers Ariane.

— Et vous êtes ? s'enquit-elle sur un ton mielleux teinté d'arrogance.

— Ariane.

— Ma femme, précisa Manolo avec la décontraction qui le caractérisait.

Cette annonce fit l'effet d'une bombe, comme Manolo l'avait certainement souhaité.

— Vraiment ?

Ariane admira la vitesse avec laquelle l'actrice parvint à reprendre le dessus. Mais l'éclair de colère qui incendiait encore ses yeux ne lui avait pas échappé.

— Et depuis quand, petit cachottier ? demanda suavement Valentina.

— Hier, répondit Manolo.

— Comment ! Et vous ne partez pas en voyage de noces ? s'exclama la jeune femme. Ariane, franchement, vous auriez dû insister pour qu'il vous emmène au bout du monde. C'est tout de même la moindre des choses !

Elle marqua une pause, comme pour mieux mesurer son effet.

— Mais peut-être que vous êtes si heureuse d'avoir mis la main sur lui que cela vous est égal ?

La perfidie de ces propos n'échappa pas à Ariane qui s'efforça de rester détachée.

— Vous me pardonnerez de ne pas répondre à cette question, répondit-elle en souriant aimablement.

La jeune femme émit un petit rire cristallin et affecta de s'intéresser à elle.

— J'ai l'impression de vous avoir déjà vue quelque part…, minauda-t-elle.

— A la télévision, révéla Manolo en repoussant doucement la main que Valentina venait de poser sur son bras.

L'espace d'un instant, le dépit obscurcit le visage de la jeune femme.

— Ah oui, je crois savoir. C'est une sorte d'émission, dit-elle avec un dédain à peine masqué. Si vous voulez bien m'excuser, j'ai quelques amis à saluer.

A en juger par l'expression de la comédienne, celle-ci n'avait qu'une hâte : se répandre en commérages à leur sujet.

— Tu aurais pu me parler de cette femme, murmura Ariane après le départ de l'intruse.

— De Valentina ?

Manolo paraissait amusé. Un comble !

Il posa la main sur son bras nu, et d'un coup les souvenirs de la nuit précédente affluèrent à sa mémoire. Elle se revit abandonnée à ses torrides caresses, et sentit le rouge lui monter aux joues.

Devinait-il combien elle était troublée en cet instant ? Pouvait-il le sentir ?

— Et si nous allions chercher notre table ? suggéra-t-il.

Elle acquiesça en espérant de tout cœur que la perfide Valentina ne serait pas placée à côté d'eux. Hélas, le hasard s'était montré facétieux ce soir-là, et la jeune comédienne lui faisait face à table.

Au cours du repas, Ariane put constater que la jeune femme était experte dans l'art de briller en société. Elle se montrait enjouée, spirituelle et caressante avec tous, mais ces simagrées paraissaient quelque peu convenues, pour ne pas dire artificielles.

Une question taraudait Ariane : Manolo et elle avaient-ils été amants ? Cette seule idée la rendait malade. Oh bon sang ! se morigéna-t-elle. Cela ne changeait rien du tout qu'ils l'eussent été ou non !

— Un peu de champagne, Ariane ? proposa Manolo.

— Pas pour le moment, je te remercie.

Le crépitement d'un flash lui fit tourner la tête. Le photographe qui se tenait devant eux les prit sous plusieurs angles.

Valentina en profita pour attirer l'attention de tout le monde en proposant un toast.

— Je lève mon verre aux jeunes mariés ! clama-t-elle. Longue vie à Manolo et Ariane del Guardo.

Ce qui aurait pu être un geste amical sembla chargé d'ironie à Ariane qui se força néanmoins à sourire. Les autres convives reprirent en cœur ces vœux de bonheur.

Leur photo ferait la une des journaux le lendemain matin. Et Roger serait certainement l'un des premiers à lire la presse. Comment allait-il réagir ?

« N'y pense pas », se sermonna-t-elle. Pour l'heure, le plus urgent était d'envoyer quelques messages à ses amis proches afin de ne pas heurter leurs sentiments.

La voix sucrée de Valentina l'arracha à ses pensées.

— Une chose m'intrigue, Ariane, commença-t-elle en souriant. Vous avez été mariée à un certain Roger Enright, n'est-ce pas ?

— C'est juste, répondit Ariane qui ne voyait pas où elle voulait en venir.

— Si je me souviens bien, vous l'avez attaqué pour harcèlement moral, c'est bien ça ?

— Oui.

— Ma pauvre, susurra-t-elle. Pour vous, ça a dû être horrible.

Ariane ne daigna pas répondre, mais son mutisme ne découragea pas la comédienne.

— Sait-il que vous êtes remariée ?

A cet instant, Ariane remarqua que les regards de tous les convives étaient dirigés vers elle.

— Si ça ne vous dérange pas, je préfère garder ma vie privée… *privée.*

Elle insista très nettement sur ce dernier mot.

— Bien sûr, mais vous devez imaginer qu'il y aura peut-être des répercussions.

— Je ne vois pas en quoi ça vous intéresse, répondit Ariane froidement.

— Oh, mais ça m'intéresse plus que vous l'imaginez, ma chère. Manolo et moi sommes amis depuis des années et je me fais naturellement du souci pour lui.

— Vous voulez dire que vous craignez qu'il n'ait pas fait le bon choix en m'épousant ?

Valentina, qui ne s'était manifestement pas attendue à une réplique si directe, affecta de s'offusquer.

— Grands dieux, non ! s'exclama-t-elle en portant la main à son cœur. Qu'est-ce qui vous permet de croire une chose pareille !

— Aurais-je mal compris ? répondit Ariane en fixant sa rivale.

— Bien entendu !

Valentina se tourna vers son voisin et entama une nouvelle conversation. Les autres convives les imitèrent et Ariane resta seule avec sa colère. En croisant le regard de Manolo, elle crut y lire une étincelle d'amusement. Sous la table, elle serra les poings de dépit. Son amertume ne devait pas lui avoir échappé puisque, bientôt, elle sentit la main de son époux prendre la sienne dans un geste d'apaisement.

L'organisateur de la soirée réclama le silence, puis il y eut quelques discours, chaleureusement applaudis par l'ensemble des invités. Elle-même fut très intéressée par les propos des représentants associatifs qui défendaient avec cœur la cause des enfants.

Lorsque les intervenants eurent parlé, les conversations reprirent. Et, au grand dam d'Ariane, Valentina s'adressa de nouveau à elle.

— J'imagine que Manolo ne vous permettra pas de continuer à travailler ? dit-elle avec une petite moue étudiée.

— Je ne renonce pas à tous mes projets, mais pour l'heure je compte m'occuper à plein temps de Christina.

— Bien sûr, bien sûr, répliqua la jeune femme avec un petit air fin. C'est bien commode pour Manolo de combiner une épouse et une « maman » pour sa fille.

— Je me félicite en effet de mon choix, intervint Manolo.

Valentina se tourna vers lui.

— Franchement, mon chéri, tu exagères, nous étions ensemble il y a une semaine à peine, et tu n'as même pas songé à me parler de ton mariage.

« Ensemble » pouvait signifier plusieurs choses et Ariane sentit son cœur s'emballer à l'idée de ce que ce mot impliquait peut-être.

— Je n'avais aucune raison de faire part de mes projets à quiconque.

— Pas même à moi ?

— Non.

La réponse de Manolo avait fusé, tranchante comme l'acier. Parvenant difficilement à garder le sourire, Valentina se tourna vers les convives et les pria de bien vouloir l'excuser. Un ami l'attendait à une autre table.

Au cours du bal qui suivit, Ariane n'eut pas l'occasion de la recroiser, ce qui lui permit de profiter davantage de la soirée. Manolo la fit danser quelques valses puis décréta qu'il était grand temps de rentrer.

De retour chez eux, ils retrouvèrent Santos dans la nurserie. Celui-ci s'était installé dans un fauteuil à côté de Christina et lisait tout en la veillant.

— Tout s'est bien passé ? s'enquit Ariane.

— A merveille. La petite ne s'est pas réveillée une seule fois. Et qu'avez-vous pensé de votre soirée ?

Ce fut Manolo qui répondit d'un air sibyllin.

— C'était intéressant…

— Ah oui ?

— Nous avons croisé Valentina Vaquez, expliqua Ariane.

Le majordome esquissa une grimace.

— Je vois, murmura-t-il.

— Si vous le permettez, intervint Ariane, je vais laisser Manolo vous raconter le reste de la soirée et m'éclipser. Je suis très fatiguée.

De retour dans la chambre, elle se dévêtit prestement et enfila une chemise de nuit de satin blanche. Puis elle entra dans *sa* salle de bains pour se démaquiller. Lorsqu'elle en ressortit, Manolo l'attendait. Simplement vêtu d'un seyant boxer-short noir, il était irrésistible. Mais ce n'était pas le moment de perdre la tête.

Délibérément, elle soutint son regard. Il s'approcha alors tout près, *trop* près.

— Tu n'as pas à me donner d'explications, dit-elle très vite.

— En effet.

— Ce que Valentina a été pour toi ne me concerne en rien.

— Très juste.

Décontenancée par l'assurance de Manolo, elle prit une inspiration profonde.

— Néanmoins, si je risque de tomber sur d'autres femmes de ce genre, j'aimerais autant que tu me préviennes afin que je me prépare.

— Afin que tu te prépares à quoi ? répondit-il en riant.

Soudain furieuse, elle leva le poing sans réfléchir, prête à l'abattre sur sa poitrine, mais il saisit son poignet au vol.

— Laisse-moi !

— Oui, mais d'abord il faut que nous parlions.

— Il n'y a rien à dire de plus.

— Bien au contraire, affirma Manolo. Grâce à cette chère Valentina, les médias vont annoncer que nous sommes mariés dès demain. Je ne te cacherai pas que j'aurais préféré me charger de cela moi-même. Mais ce qui est fait est fait... Selon toi, comment Roger va-t-il réagir ?

— Il sera fou de colère.

— J'ai demandé à Santos de renforcer le système de sécurité de la maison. Et, jusqu'à nouvel ordre, je te demanderai de ne pas sortir seule d'ici.

— Je suis assez grande pour m'occuper de moi-même ! protesta-t-elle avec feu.

— C'est vrai, et c'est pour ça que tu vas être prudente.

Comme pour adoucir la fermeté de ses propos, il lui caressa tendrement les épaules.

Comment était-il possible de ressentir à la fois de la colère et du désir pour cet homme ? se demanda Ariane, que ce seul contact avait suffi à incendier.

— Ne t'inquiète pas, je serai raisonnable, dit-elle, un voile dans la voix. A présent, et si tu n'as plus rien à me dire, j'aimerais bien me coucher. Je suis épuisée.

La main de Manolo glissa le long de son dos pour se refermer sur sa taille en un geste possessif.

— Je peux t'aider à passer une bonne nuit, tu sais.

— J'ai comme l'impression que l'aide que tu proposes si généreusement implique justement que je ne dorme pas tout de suite…

Elle ne voulait pas faire l'amour avec lui ce soir-là — du moins, elle essayait désespérément de s'en persuader.

— Fais-moi confiance, murmura-t-il en lui frôlant les lèvres du bout des doigts.

— Non, s'il te plaît…, répondit-elle dans un souffle rauque.

Il fit glisser une bretelle de sa chemise de nuit et posa la main sur l'un de ses seins.

— Tu veux toujours que j'arrête ? chuchota-t-il à son oreille.

Puis, sans attendre sa réponse, il captura ses lèvres dans un baiser doux et langoureux qui la laissa sans forces.

— Tu me rends folle, gémit-elle lorsqu'il releva la tête.

Son déshabillé glissa à terre. L'instant suivant, ils tombèrent enlacés sur le lit. Après lui avoir prodigué d'ensorcelantes caresses, il la pénétra doucement. Les sensations qui assaillirent Ariane étaient si intenses qu'elle eut l'impression d'être emportée dans un tourbillon voluptueux. Les mouvements de leurs corps enflammés s'accélérèrent furieusement jusqu'à ce qu'ils succombent, unis dans une extase libératrice.

Lorsque le dernier frisson de plaisir mourut sur sa peau, Ariane se blottit contre Manolo et murmura en embrassant son torse :

— Je te déteste.

— Dors, *querida*, répondit-il tranquillement. Et quoi qu'il arrive demain, nous y ferons face ensemble.

Le lendemain, tous les journaux du dimanche annonçaient le mariage du célèbre homme d'affaires Manolo del Guardo et de la journaliste Ariane Celeste. Chaque article était accompagné d'une photo prise au bal de la veille. La nouvelle ne figurait pas en première page, mais était suffisamment visible pour que les lecteurs ne puissent pas y échapper.

Ariane éteignit son téléphone portable le temps de prendre son petit déjeuner et le ralluma pour vérifier ses messages en remontant dans sa chambre. Le premier venait d'un ami qui la félicitait chaleureusement, mais les suivants, hélas, étaient tous de Roger. Ce dernier l'accablait d'insultes, sur un ton plus agressif encore que les fois précédentes.

L'oreille collée au téléphone, le cœur au bord des lèvres, elle n'entendit pas Manolo entrer dans la chambre. Aussi sursauta-t-elle quand il lui prit le combiné pour écouter à son tour.

— *Por Dios*…, dit-il d'une voix sourde avant d'éteindre l'appareil. Depuis combien de temps reçois-tu ces messages orduriers ?

— Un certain temps.

Le regard de Manolo se durcit.

— Peux-tu être plus précise ?

— Roger a commencé à me harceler le lendemain du jour où je l'ai quitté.

Manolo resta impassible, mais elle sentit sourdre une immense colère en lui.

— A quel rythme ?

— Presque tous les jours…, répondit-elle d'une voix hésitante. Il veut me faire savoir qu'il n'ignore rien de mes faits et gestes.

— As-tu essayé d'y remédier ?

— J'ai changé de numéro de téléphone un nombre incalculable de fois. Franchement, j'ai dû battre tous les records à ce niveau-là ! Malheureusement, ça me fait simplement gagner un ou deux jours de tranquillité. Roger parvient toujours à se procurer mes nouvelles coordonnées.

— Et je suppose qu'il n'y a pas moyen de bloquer ses appels ?

— Non, il utilise différentes cartes SIM ou d'autres lignes, si bien que je ne peux jamais déterminer la provenance de ses appels.

— Laisse-moi m'en occuper.

— C'est gentil, mais je doute que tu puisses y changer quelque chose. J'ai déjà tout essayé.

— Ecoute, voilà ce que nous allons faire pour le moment : tu vas donner mon numéro privé à tes parents et à Alex. En ce qui concerne ton portable, Santos va s'arranger pour qu'il filtre tous les appels reçus. De ton côté, il serait préférable de ne plus l'utiliser et de te servir de la ligne de la maison pour tes coups de fil.

Ariane acquiesça en songeant qu'il faudrait un miracle pour que Roger cesse de la harceler.

— Ne t'inquiète pas, il finira bien par arrêter, dit Manolo, comme s'il avait lu dans ses pensées. Tu peux me faire confiance.

9.

Les jours suivants, ils reçurent un grand nombre d'invitations à divers dîners et cocktails. Les relations de Manolo, professionnelles et privées, étaient certainement curieuses de découvrir la jeune épouse de l'homme d'affaires le plus en vogue du moment.

— Toutes ces invitations ! s'exclama Ariane, un soir à table. Je n'en reviens pas.

— Ne t'inquiète pas, dans quelques jours, cet engouement cessera, répondit Manolo en souriant. Je voulais te parler de tout autre chose.

— Oui ?

— J'ai reçu un appel du producteur de la chaîne ce matin. Il m'a annoncé que ton reportage passera le mois prochain à la télévision.

Une étincelle s'alluma dans le regard d'Ariane. Manolo se demanda si elle savait à quel point son visage pouvait être expressif. Par moments, il avait l'impression de lire en elle, même si à d'autres égards elle demeurait un mystère.

— Tu as fait un bon travail, ajouta-t-il.

Il observa son sourire ravi et nota que celui-ci illuminait également ses beaux yeux verts.

— Essaierais-tu de me flatter, par hasard ? s'enquit-elle sur un ton badin.

— Qu'est-ce qui te fait penser cela ?

— J'attendais beaucoup plus de cette interview et tu le sais. J'avais espéré que tu te livrerais davantage.

— Au nom du réalisme, c'est ça ?

— Appelle ça comme tu veux. Moi, je trouvais intéressant de faire apparaître une facette inédite de ta personnalité.

— Je comprends ton point de vue, mais je ne voyais pas l'intérêt d'évoquer mon passé en détail.

— Pourtant, ce passé fait partie de toi… En un sens, c'est grâce à ton enfance difficile que tu es devenu l'homme que tu es.

— Je ne peux pas changer le passé. En revanche, j'ai le pouvoir de ne jamais le revivre.

— Et c'est pour cela que tu t'es acharné à accumuler les richesses, à devancer tes concurrents, à construire un empire financier colossal, remarqua-t-elle.

— Si tu veux voir les choses comme cela, libre à toi.

— Il ne s'agit pas de ce que je veux, objecta-t-elle. Mais de ce que *tu* veux.

— Explique-toi.

— Jusqu'où iras-tu ? s'enquit-elle alors avec douceur. Quand seras-tu satisfait ?

— Lorsqu'il n'y aura plus de défis à relever, répondit-il simplement avant de se lever.

Puis il ajouta :

— A ce propos, je pars pour Brisbane demain.

— Combien de temps ?

— Deux jours.

Il allait lui manquer, et beaucoup plus qu'elle n'aurait jamais pu l'imaginer.

Le lendemain matin, lorsqu'elle s'éveilla, Manolo était déjà parti. Songeant qu'elle devait mettre à profit ces deux jours, elle décida qu'elle prendrait le temps d'écrire à ses parents et à Alex. Elle comptait également utiliser les moments de liberté que lui laissait Christina pour jeter quelques idées sur une feuille en vue d'un article qu'elle souhaitait rédiger depuis longtemps.

Le jour suivant, elle éprouva l'envie d'appeler une amie pour prendre un café dehors. Consciente que cette idée ne soulèverait certainement pas l'enthousiasme de Santos, elle décida de lui en parler dès le petit déjeuner.

— Christina fait une sieste de trois heures en début d'après-midi, expliqua-t-elle. Je ne serai absente que deux heures grand maximum. Mais, bien sûr, si jamais elle se réveille, vous pouvez me joindre sur mon portable. Je rentrerai immédiatement.

Le majordome fronça les sourcils.

— Manolo est au courant ?

— Non. Pourquoi ? Vous pensez qu'il s'opposerait à ce que je sorte ?

— Son inquiétude serait compréhensible.

En entendant ces mots, Ariane se sentit exaspérée.

— Ecoutez, je ne vais pas laisser mon ex-mari me rendre la vie infernale. Je ne peux tout de même pas rester enfermée en permanence.

— Vu les circonstances, il faut être prudente.

— Les circonstances… Vous voulez parler de mon remariage ?

— N'oubliez pas que vous avez épousé un homme extrêmement riche, répondit Santos.

— J'ai déjà pensé à tout cela et je peux vous assurer que je ne ferai jamais courir le moindre risque à Christina. Par contre, je suis assez grande pour m'occuper de moi !

Santos la dévisagea en silence pendant quelques secondes.

— Dans ce cas, j'espère que vous permettrez que j'appelle une heure après votre départ pour vérifier que tout va bien ?

— Vous suivez les instructions de Manolo ?

— Ça vous ennuie ?

Elle ne voyait aucune raison de mentir.

— Oui.

Sa réponse fit sourire Santos.

— Vous êtes honnête… Une qualité qui se perd de nos jours.

— Je suis contente que vous pensiez comme moi.

De retour dans sa chambre, Ariane appela son amie Lise et convint avec elle d'un rendez-vous dans l'un des cafés de la ville. Puis, elle se rendit à la nurserie pour retrouver Christina qui se réveillait doucement. En la voyant apparaître, l'enfant eut un large sourire et se mit à agiter ses petites jambes d'excitation. Ariane sentit son cœur fondre de tendresse. Grâce aux soins affectueux qu'elle lui prodiguait, la fillette s'épanouissait de jour en jour.

— Bonjour, ma belle, dit-elle d'une voix chantante. Nous allons jouer un peu toutes les deux. Mais, d'abord, il faudrait peut-être que je te change, mon petit cœur.

En la prenant dans ses bras, Ariane songea que Christina était vraiment une enfant délicieuse ; belle, douce et désormais heureuse. Avait-elle senti que sa vie était plus stable qu'auparavant ? Ariane l'espérait de tout cœur.

— Dorénavant, je suis là pour toi, mon ange, murmura-t-elle à l'oreille du bébé.

A 14 heures, elle coucha Christina, qui devait faire sa sieste, et regagna rapidement sa chambre pour se changer. Elle enfila un pantalon légèrement évasé qu'elle assortit à un petit haut en mousseline de soie imprimée. Après avoir chaussé des escarpins à talons hauts et brossé ses longs cheveux, elle descendit l'escalier à la recherche de Santos.

— J'y vais, lui lança-t-elle en brandissant son téléphone portable. Vous pouvez me joindre si besoin est, sinon je serai de retour dans deux heures.

— Ne vous inquiétez pas, si Christina se réveille avant, je saurai me débrouiller. Je vais vous ouvrir le portail.

En quelques minutes, Ariane arriva dans le quartier de Double Bay, où elle avait donné rendez-vous à Lise. L'endroit était célèbre pour ses boutiques de luxe et les terrasses de ses cafés huppés.

En approchant d'une de ces terrasses, elle reconnut la voix de son amie.

— Ariane, j'ai cru que tu n'arriverais jamais !

— Lise ! s'écria-t-elle en serrant son amie dans ses bras. Comme je suis heureuse de te revoir ! Comment vas-tu ?

— Très bien, mais c'est surtout à toi qu'il faut poser la question. Assieds-toi vite et raconte-moi tout ! Je brûle d'impatience !

Le serveur arriva et prit leur commande. Heureuse de ce contretemps, Ariane ne répondit pas tout de suite aux questions de son amie. Celle-ci insista de plus belle.

— Manolo del Guardo ! s'exclama-t-elle en riant. Dis donc… Je veux tout savoir par le menu. Bon sang, comment se fait-il que tu te sois mariée et que je n'aie pas été invitée ? Pourquoi tant de précipitation et de mystère ?

Ariane sourit avec tendresse. Il n'y avait pas de reproche dans la voix de Lise, qui était une véritable amie. Elles s'étaient rencontrées adolescentes en pension, et le lien qui les unissait ne s'était jamais rompu.

— D'accord, d'accord, je vais t'expliquer. Mais laisse-moi boire mon café d'abord.

— Je ne suis pas sûre d'avoir la patience nécessaire !

— Très bien, concéda Ariane en riant. En fait, j'ai interviewé Manolo, et comme la nurse de sa fille venait de démissionner, il m'a demandé de la remplacer quelques jours. Bref… la semaine suivante, il me demandait en mariage.

— C'est tout ? s'écria Lise en ouvrant de grands yeux.

— Plus ou moins.

— Tu ne vas tout de même pas faire croire ça à une vieille amie ! Allez, je t'écoute.

Ariane hésita.

— Comment dire ? commença-t-elle sans trop savoir comment présenter les choses. C'est un… arrangement qui nous convient.

— Un arrangement ? reprit Lise, l'air interloqué. Ecoute, ma chérie, j'ai déjà eu l'occasion d'apercevoir ton mari et il est à mourir ! De qui te moques-tu ? Je suis sûre que tu ne te serais pas mariée si tu n'étais pas tombée amoureuse de lui.

— Tu te trompes.

— Pas à moi, ma grande. Je ne marche pas !

— Ce n'est pas un mariage d'amour, répéta Ariane.

— Alors, tu veux dire que c'est purement sexuel ?

Ariane baissa les yeux de confusion. Son amie n'avait pas entièrement tort cette fois-ci, mais il y avait une autre raison, beaucoup plus importante.

— Grâce à ce mariage, je suis devenue la belle-mère d'une adorable petite fille de six mois, expliqua-t-elle calmement. Manolo et moi, nous nous entendons bien… et après tout ce qui est arrivé avec Roger, je suis heureuse de mener une existence plus stable.

Lise l'écouta avec attention et fit une moue dubitative.

— Si je ne te connaissais pas si bien, je te croirais peut-être. A propos, comment Roger prend-il les choses ?

— Manolo s'est arrangé pour que les appels vers mon portable soient filtrés. Pour le moment, j'ai donc la paix. Tu ne peux pas savoir à quel point j'aimerais qu'il cesse de me harceler !

— Malheureusement, je pense que ça n'arrivera pas du jour au lendemain. Fais attention à toi.

Ariane songea avec tristesse que son amie voyait certainement juste. Roger allait-il concevoir une quelconque vengeance ? Elle préférait ne pas y penser pour le moment.

— Et si nous changions de sujet ? suggéra Lise, fort à propos. Comment était ta robe de mariée ? Tu as des photos ?

— Santos en a pris quelques-unes. Manolo a donné un des clichés à la presse, je crois.

— Qui est Santos ?

— Le majordome. Il s'occupe de tout dans la maison et fait aussi la cuisine.

— Ah… Bon, si tu n'as pas de photos, je me contenterai d'une description.

Ariane s'exécuta de bonne grâce avant de s'enquérir de la vie sentimentale de son amie. Lise lui répondit en soupirant :

— Emilio vit à Milan, moi ici. Que dire de plus ?

— Je sais qu'il t'adore ! Tu pourrais peut-être le rejoindre en Italie.

— Peut-être, répondit songeusement Lise.

Ariane s'apprêtait à lui demander ce qui la retenait quand une voix haut perchée se fit entendre.

— Ariane ! Quelle surprise de vous rencontrer ici !

« Pourvu que ce ne soit pas Valentina », songea-t-elle en se tournant. Et pourtant, c'était bien elle ! Elégante jusqu'au bout des ongles et divinement coiffée.

— Bonjour, Valentina, dit-elle sèchement en espérant que l'actrice passerait son chemin.

Ce ne fut pas le cas, hélas.

— J'aurais pensé que vous seriez à la maison, à accomplir vos devoirs de nounou, fit remarquer l'intruse d'une voix douce et perfide.

— Même les nounous ont droit à du temps libre, répliqua Ariane en regardant froidement Valentina.

— Mais je vois que vous êtes avec une amie…

— Lise Vanhoffen, déclara celle-ci. Une *très* bonne amie d'Ariane.

120

Valentina avait-elle compris le message — « laisse mon amie tranquille » — que venait de lui envoyer Lise ? Sans doute pas ! D'ailleurs, la comédienne ne daigna même pas accorder un regard à Lise.

— Ariane, je suis ravie de vous avoir croisée, reprit-elle d'une voix suave. Vous avez quelques minutes à m'accorder ?

— Franchement, ce n'est pas le moment idéal.

Valentina haussa dédaigneusement les épaules.

— C'était simplement pour vous dire que j'organise une vente de bijoux samedi prochain chez moi, au profit de l'association de Manolo. Il sera bien entendu l'invité d'honneur. Ah oui… de votre côté, ce n'est pas la peine que vous veniez.

Sur ces paroles, la jeune femme leur tourna le dos et s'en alla.

Lise paraissait stupéfaite.

— Charmante…, murmura-t-elle.

— N'est-ce pas ?

— Et si nous allions faire les boutiques pour oublier cette garce ?

En l'espace de trois quarts d'heure, les deux amies eurent le temps de musarder dans les magasins de luxe et chacune en ressortit chargée de sacs. Ariane se sentait un peu coupable d'avoir cédé à ses envies, mais Lise l'avait vivement encouragée à le faire. Et, après tout, il fallait qu'elle renouvelle sa garde-robe pour être à la hauteur de son nouveau rôle.

Peu avant 16 heures, les deux amies s'embrassèrent et Ariane rentra à Point Piper. Santos vint l'accueillir au portail.

— Tout s'est bien passé ? s'enquit-elle aussitôt.

— Christina ne s'est pas encore réveillée, mais elle ne devrait pas tarder à réclamer son goûter. Manolo a appelé et rappellera après le dîner. Sinon, vous avez reçu deux messages…

— Ils venaient de Roger ?

— Oui, confirma le majordome. Je les ai écoutés et effacés.

— Je suis confuse que vous ayez eu à subir cela.

— Ne vous inquiétez pas. C'est aussi mon travail, répondit Santos d'une voix apaisante.

— Bien, je vais déposer mes sacs dans la chambre et m'occuper de la petite. A plus tard !

Il était près de 20 heures lorsque Ariane redescendit après avoir couché Christina. Le couvert avait été dressé à son intention sur la terrasse et Santos lui avait préparé une exquise salade, accompagnée de gambas grillées. Elle savoura son repas avec plaisir en admirant les teintes mordorées du soleil en son couchant.

Santos apparut soudain, sans qu'elle l'eût entendu arriver. Cet homme avait la discrétion d'un félin, qualité qu'il partageait avec Manolo.

— Prendrez-vous un café ? demanda-t-il.

— D'accord, si vous acceptez d'en prendre un avec moi, répondit-elle en souriant.

Le majordome parut hésiter.

— Allons, l'encouragea-t-elle. Une petite pause vous ferait du bien, à vous aussi. Discutons un moment.

— Très bien, je reviens tout de suite avec les tasses, répondit-il en souriant imperceptiblement.

Quelques minutes plus tard, il revint avec un plateau, du café et des biscuits.

— Vous connaissez Manolo depuis longtemps…, dit Ariane pour engager la conversation.

Au cours de ses recherches, elle avait appris que l'amitié des deux hommes remontait à vingt ans, mais elle ignorait comment ils s'étaient rencontrés. Et comme Santos était âgé de dix ans de plus que Manolo, ils n'étaient certainement pas camarades de classe.

— Depuis longtemps, en effet, répondit le majordome sur un ton évasif.

— Comment vous êtes-vous rencontrés ? osa-t-elle demander.

— Au cours d'une altercation qui a dégénéré…

— Qui est venu au secours de qui ?

— Disons que nous nous sommes mutuellement porté secours.

— Et vous étiez deux contre… ?

— Plusieurs.

— Je vois.

Santos doutait qu'Ariane puisse imaginer à quel point cette bagarre avait été rude. A l'époque, Manolo était âgé de douze ans et lui-même sortait tout juste de l'adolescence. Ils étaient tombés dans une embuscade, dans des circonstances qu'il préférait oublier. Ils avaient réussi à s'en sortir et une amitié indéfectible était née entre eux à compter de ce jour. Plus tard, lorsque Manolo avait commencé à gravir les échelons de la réussite, il avait pris Santos à son service, ce dont ce dernier lui était profondément reconnaissant.

— Etes-vous déjà retourné aux Etats-Unis ?

— Non.

La sonnerie du téléphone interrompit leur conversation. Santos se leva pour répondre. Après avoir parlé quelques secondes, il tendit le combiné à Ariane.

— C'est Manolo.

Le cœur battant la chamade, elle colla l'appareil à son oreille. Discret, Santos s'éclipsa.

— Bonsoir, murmura-t-elle, étrangement émue.

— Ariane…

Il avait une manière incroyablement sexy de prononcer son prénom, songea-t-elle.

— Comment vas-tu ? s'enquit-il.

— Bien… Euh… Christina va bien.

— Je sais, c'est ce que Santos m'a dit lorsque j'ai appelé cet après-midi.

Dans ce cas, il devait certainement savoir qu'elle était sortie.

— J'ai pris un café avec Lise, expliqua-t-elle sans attendre qu'il lui pose la question.

— Une amie ?

— Une très bonne amie, oui. Et comment vont les affaires ?

— Plutôt bien. Je serai de retour demain soir.

— Ah bon ? Je croyais que tu ne serais pas de retour avant vendredi.

— J'ai bon espoir de boucler le contrat plus vite que prévu.

— Dans ce cas, amuse-toi bien.

Elle l'entendit rire légèrement.

— Bonne nuit, bafouilla-t-elle avant de raccrocher le téléphone.

Dans son émotion, elle ne lui avait pas laissé le temps de répondre.

Le lendemain soir, lorsque Christina fut endormie, Ariane décida de se rendre dans la salle de gym pour faire quelques exercices et se libérer de ses tensions. Après une heure de travail acharné, elle remonta dans sa chambre, fatiguée, mais détendue.

Il était près de 23 heures lorsqu'elle entra dans la cabine de douche. Le jet massant lui fit le plus grand bien dans un premier temps, puis elle régla le pommeau sur un débit plus doux. Les yeux fermés, elle offrit son visage à l'eau ruisselante qui retombait en fines gouttelettes sur son corps.

Puis, elle éteignit le jet et entreprit de se savonner. Manolo n'était pas rentré. A l'évidence, il n'avait pas réussi à boucler son contrat à temps. Elle se persuada que tout cela lui était égal. Après tout, elle s'était mariée sans aucune illusion et savait pertinemment que de nombreuses soirées solitaires l'attendraient dorénavant.

Autant s'y habituer, résolut-elle en essayant de se frotter le haut du dos avec le gant.

— Laisse-moi t'aider.

En reconnaissant la voix de son mari, elle laissa tomber le savon de surprise et fit volte-face. Manolo se tenait à l'entrée de la cabine, entièrement nu.

— Tu aurais pu me prévenir ! s'exclama-t-elle avec fureur. J'ai cru mourir de peur !

— Si je t'avais prévenue, ça aurait gâché l'effet de surprise, répondit-il en entrant dans la douche.

Puis il ramassa le savon.

— Rends-le-moi.

— Ne sois pas si pressée, murmura-t-il en penchant doucement la tête vers son visage.

Au contact de ses lèvres sur sa joue, Ariane ne put réprimer un frisson. Instinctivement elle baissa les paupières, le laissant conquérir sa bouche avec ardeur.

Elle aurait voulu se fondre en lui, s'abandonner totalement au pouvoir ensorcelant de ses caresses. Incapable de se dominer plus longtemps, elle le serra contre elle de toutes ses forces.

Manolo s'écarta légèrement et se pencha sur son sein qu'il cueillit du bout des lèvres. Incendiée de désir, elle émit un long gémissement plaintif, le suppliant de continuer.

Il se mit alors à genoux et traça un chemin de feu jusqu'au cœur frémissant de sa féminité, qu'il taquina avec une infinie douceur.

Ariane atteignit l'extase dans un cri de volupté et nicha son visage dans l'épaule de Manolo. Celui-ci la souleva et la conduisit jusqu'au lit de la chambre. Puis, sans crier gare, il s'enfouit au plus profond d'elle, renouvelant le plaisir qu'il venait de lui procurer. Ils firent l'amour avec fougue, unis dans l'exaltation de leurs sens.

Cette nuit-là, Ariane s'endormit avec béatitude dans les bras de Manolo, consciente que l'intimité charnelle qu'elle partageait avec lui dépassait l'entendement. Mais, bien sûr, elle ne devait perdre de vue qu'il s'agissait simplement d'une entente physique. Aussi extraordinaire soit-elle, il ne fallait surtout pas la confondre avec un autre sentiment, dont il ne serait jamais question entre eux.

Ce ne fut que le lendemain matin, alors qu'ils prenaient leur petit déjeuner, qu'elle se souvint de sa rencontre avec Valentina.

— J'ai croisé Valentina hier, déclara-t-elle.

Manolo fronça les sourcils et son regard parut se durcir.

— Ah oui ?

— Elle m'a accostée alors que je prenais un café avec Lise, expliqua-t-elle en s'efforçant de rester neutre. Elle m'a chargée de te rappeler qu'elle organise une vente de bijoux samedi prochain... une vente au profit de ton association.

— Je sais. Elle m'a envoyé une invitation il y a deux mois de cela.

— Et tu ne lui as pas répondu ?

— Non. Elle peut très bien prendre contact avec mon directeur de cabinet pour cela.

— Peut-être qu'elle préfère s'entretenir directement avec toi, tu ne crois pas ? hasarda Ariane.

— Que cherches-tu à me faire dire ? s'enquit Manolo en lui adressant un regard pénétrant.

126

— Eh bien, je pense simplement que cette femme est amoureuse de toi… et…

— Et ? Ne t'arrête pas.

— Je ne la crois pas prête à abandonner la partie. Dans son esprit, je suis remplaçable…

— C'est ce qu'elle t'a dit ?

— Non, elle n'a pas eu besoin de le dire. Son attitude avec moi est suffisamment claire. Elle m'a tout de même fait comprendre que je n'étais pas la bienvenue samedi prochain.

— Etant donné que je n'ai pas la moindre intention d'assister à une soirée sans toi, elle risque d'être déçue.

A ces mots, Ariane sentit son cœur se gonfler de joie.

— Et Christina ?

— Santos saura très bien s'en occuper.

Ariane esquissa un petit sourire malicieux.

— Tu verras, je jouerai à merveille l'épouse dévouée…

« Et sans avoir à fournir le moindre effort », songea-t-elle. Manolo se mit à rire.

— Tu seras prête à entrer dans l'arène ?

— Et comment !

10.

Le samedi suivant, Ariane se prépara avec soin pour assister à la vente de bijoux qui devait avoir lieu chez Valentina.

La robe qu'elle avait choisie la veille lui seyait à ravir, songea-t-elle en se regardant dans le miroir. Le profond décolleté retenu par de fines bretelles mettait en valeur l'arrondi de sa gorge d'albâtre. L'étoffe de mousseline verte épousait à merveille la courbe de ses hanches pour s'épanouir en corolle à partir des genoux. De dos, l'effet était tout aussi stupéfiant, avec une traîne brodée qui semblait flotter à chaque pas qu'elle faisait. Ses cheveux, dont les boucles dansaient sur ses épaules, capturaient la lumière et semblaient aussi doux que de la soie.

— Tu es divine, dit Manolo en ajustant sa cravate.

— Merci…, répondit-elle en souriant. Tu es plutôt pas mal, de ton côté.

— Pas mal ? reprit-il, avec une lueur d'amusement dans le regard.

— Disons que tu n'es pas sans charme…, corrigea-t-elle sur un ton malicieux. J'imagine que nous pouvons partir à présent ?

— Rappelle-moi de m'occuper de toi quand nous rentrerons.

— Hum… intéressant.

— Ça le sera.

Ils firent un saut à la nurserie pour s'assurer que Christina dormait bien. En voyant l'enfant paisiblement endormie, Ariane ne put s'empêcher de sourire. L'affection qu'elle portait à la petite fille grandissait de jour en jour et semblait réciproque.

Bien sûr, elle n'oubliait pas que Christina était aussi la fille d'Yvonne. D'ailleurs, Ariane aurait souhaité en savoir plus au sujet de la première femme de Manolo.

Il n'y avait de photos d'elle nulle part et personne n'en parlait jamais. Pour un peu, on aurait pu croire qu'elle n'avait pas existé.

Songeant qu'il était peut-être un peu tôt pour en savoir plus, elle se contenta d'espérer qu'elle faisait la différence auprès de Christina... et auprès de Manolo aussi.

Quelles étaient les chances que les choses évoluent entre eux et que leur « amitié » se transforme en amour ? Elle s'était promis de ne pas y penser, mais c'était bien difficile. De son côté en tout cas, elle se sentait prête à céder à un sentiment plus profond. Cependant qu'en était-il pour Manolo ?

Et s'il finissait par se lasser d'elle au bout de six mois ou un an ? Comment parviendrait-elle à supporter qu'il la délaisse pour une autre femme ?

Elle pouvait toujours essayer de se convaincre que ce n'était pas grave, elle ne parviendrait jamais à s'en persuader.

L'appartement de Valentina, qui était situé dans le luxueux quartier de Rose Bay, jouissait d'une vue magnifique sur le port. Les invités avaient été triés sur le volet et un important dispositif de sécurité assurait le bon déroulement de l'événement. Ariane était impressionnée par les efforts déployés par sa rivale. S'intéressait-elle réellement au projet humanitaire de Manolo ou désirait-elle l'impressionner, lui ?

Ariane penchait plutôt pour la deuxième solution.

— Chéri ! Te voilà enfin ! s'écria Valentina en approchant pour les accueillir.

Revêtue d'un fourreau noir au décolleté vertigineux, l'actrice était terriblement séduisante, dut reconnaître Ariane.

— Bonsoir, Valentina, répondit Manolo avec un sourire un peu contraint.

— Oh, mais tu es venu avec Ariane. Comme c'est mignon !

« Mignon » ! Mais pour qui cette pimbêche se prenait-elle ? songea Ariane en prenant sur elle pour contenir son irritation.

Heureusement, la jeune actrice dut s'éclipser rapidement pour saluer d'autres invités.

La soirée battait son plein : les convives dégustaient champagne, caviar et autres petits-fours, tandis que maints serviteurs se chargeaient de présenter de nouveaux mets, toujours plus raffinés et surprenants. Valentina avait vu les choses en grand et s'arrangeait pour que cela se sache.

Les bijoux destinés à la vente se trouvaient dans un autre salon, un peu à l'écart. Chaque joyau reposait sur un coussin de velours bleu roi, abrité par un cube de verre. En se penchant pour les admirer, le regard d'Ariane fut attiré par une magnifique paire de boucles d'oreilles, composée de plusieurs rangées de gouttelettes de diamants et d'émeraudes.

— Tu as vu quelque chose qui te plaît ? s'enquit Manolo qui l'avait suivie sans qu'elle s'en aperçoive.

— Que suis-je supposée faire ? répondit-elle en riant. Te prendre par le bras et te promettre monts et merveilles à l'oreille tout en montrant du doigt le bijou le plus cher ?

Manolo rit à son tour.

— Si tu me promets monts et merveilles, je ne réponds plus de moi.

Ariane chercha une repartie, mais les paroles de son mari l'avaient trop troublée pour qu'elle puisse prononcer un mot. Un peu confuse, elle sentit le rouge lui monter aux joues.

— Pour le moment, reprit Manolo, nous ferions mieux de nous concentrer sur la vente aux enchères qui va bientôt commencer.

— Oh, et je vois Valentina qui approche…

— Manolo ! s'exclama l'actrice de sa voix suave.

Le regard qu'elle posa sur lui était dénué de toute ambiguïté ; si cela avait été possible, elle l'aurait dévoré !

— Ariane, vous permettez que je vous le vole quelques instants ?

« Pour quelques instants… ou pour toujours ? » pensa Ariane qui tâcha de se montrer détendue.

— Du moment qu'il me revient vite, répondit-elle.

— Ne t'inquiète pas, ce ne sera pas long, déclara Manolo.

Valentina sourit avec grâce, mais Ariane eut le temps de voir une lueur de colère enflammer son regard.

Quelques minutes plus tard, Valentina pria les invités de s'asseoir et annonça que la vente allait commencer. Elle prit le temps de présenter l'association de Manolo et défendit avec émotion la cause de l'enfance défavorisée.

Ariane devait au moins lui reconnaître un grand talent de comédienne !

Puis, ce fut au tour de Manolo de prendre la parole. Il se contenta d'ajouter quelques informations complémentaires et de remercier Valentina d'avoir organisé l'événement.

Deux heures plus tard, les enchères étaient closes. Valentina rayonnait, les acquéreurs s'étaient montrés très généreux et tous les bijoux avaient été vendus.

On servit le café. Manolo fut pris à part par Valentina et quelques amis, et Ariane se retrouva seule.

— J'ai l'impression de vous connaître, murmura une voix masculine à son oreille.

Surprise, elle se retourna.

— Vous présentez une émission à la télévision, si je ne m'abuse ?

Ariane sourit poliment à l'inconnu, s'apprêtant à répondre.

— Non… ne me dites rien, coupa l'individu. Laissez-moi plutôt retrouver… Ah j'y suis, vous interviewez des gens riches et célèbres.

Ariane fit la moue. Cette définition de son travail ne lui convenait pas tout à fait.

— Pas seulement…, corrigea-t-elle sans entrer dans les détails.

— Puis-je vous resservir en café ? s'enquit l'homme d'une voix mielleuse.

Jugeant qu'il était trop caressant pour être honnête, elle déclina poliment son offre.

— Vous êtes accompagnée ? demanda-t-il, avec un sourire entendu.

— Oui, par mon mari, répondit-elle, plus fermement.

— Ah, je vois…, marmonna-t-il en lui glissant sa carte dans une main. Appelez-moi quand vous voulez. Nous pourrons toujours dénicher un endroit discret pour nous retrouver.

Hérissée par l'impudence de son interlocuteur, Ariane le toisa sévèrement et lui rendit sa carte.

— Non merci.

L'homme se renfrogna.

— Savez-vous au moins qui je suis ? demanda-t-il avec une pointe de mépris dans la voix.

— Tout ce que je sais, c'est que vous feriez mieux de vous intéresser à quelqu'un d'autre.

— Franchement, vous m'intriguez…, déclara l'importun. Et dites-moi, votre mari est…

Elle fit durer le suspense quelques secondes avant de répondre :

— Manolo del Guardo.

L'homme eut une exclamation étouffée et se mit à rougir.

— Très bien, très bien, marmonna-t-il confusément. Si vous voulez bien m'excuser… je vais aller me resservir en café.

Voyant son interlocuteur battre misérablement en retraite, Ariane ne put s'empêcher de sourire. Manolo la rejoignit à ce moment-là.

— J'ai l'impression que tu viens de blesser l'amour-propre d'un invité, déclara-t-il en lui adressant un clin d'œil.

— Il m'a suffi de mentionner que j'étais ta femme pour le faire fuir.

— De loin, c'est ce qui m'a semblé à moi aussi.

Il se rapprocha d'elle et posa une main sur sa taille. Aussitôt, Ariane sentit sa respiration s'accélérer. Que lui arrivait-il ? Elle était pire qu'une collégienne… Le moindre contact avec cet homme suffisait à lui faire perdre la tête ! C'était magique… incompréhensible.

Oh Seigneur, elle se trouvait sur une pente dangereuse ! Il était exclu de tomber amoureuse de Manolo. L'affection, le respect, le sexe ; tout cela faisait partie de leur contrat, mais l'amour était un sentiment beaucoup trop dangereux pour qu'elle s'y adonne.

— Nous allons bientôt partir, murmura-t-il à son oreille.

A ces mots, elle frissonna car l'issue de la soirée ne faisait aucun doute. Ne lui avait-il pas promis de « s'occuper d'elle » un peu plus tôt ?

A ce moment-là, elle aperçut Valentina qui venait dans leur direction.

— J'espère que je ne vous dérange pas, minauda-t-elle. Manolo, un des invités veut discuter avec toi. Il t'attend au petit salon.

— Je n'en aurai pas pour longtemps, déclara ce dernier avant de s'éclipser.

Valentina, elle, ne partit pas. Elles étaient seules désormais et Ariane eut la nette impression que sa rivale était prête à lui livrer bataille.

Elle ne se trompait pas.

— Nous avons à parler, déclara froidement l'actrice.

— Je ne vois vraiment pas de quoi nous pourrions discuter, répondit Ariane sur le même ton.

— Ne jouez pas les innocentes… je veux parler de Manolo bien sûr.

— Dans ce cas, vous feriez mieux de vous adresser directement à lui.

Valentina lui décocha un regard assassin puis la détailla avec dédain.

— Franchement ma chère, je ne comprends pas ce qu'il vous trouve… Mais ça lui passera, vous pouvez en être sûre. J'étais là avant Yvonne, je serai là après vous. Il sera à moi de nouveau.

Cette fois-ci, la «vieille amie de Manolo » était allée trop loin !

— Vous ne croyez pas que vous feriez mieux de laisser tomber ? répliqua Ariane.

L'espace d'un instant, elle crut que l'actrice allait se jeter sur elle.

— Surveillez vos arrières, se contenta-t-elle de répondre d'une voix sifflante.

— Je n'y manquerai pas.

Manolo réapparut alors et l'expression furieuse de Valentina laissa place à un charmant sourire.

— Chéri, te revoilà ! J'étais justement en train de dire à Ariane que nous devrions porter un toast à la réussite de cette soirée.

— C'est gentil, mais non merci, répondit Manolo en souriant. Nous devons ménager notre « baby-sitter » et rentrer tôt. C'était vraiment très généreux de ta part d'organiser cette soirée. Quelle réussite !

— Euh oui…, répondit Valentina, un peu déconfite.

La nuit était déjà avancée lorsque Manolo gara la voiture dans le garage. Santos vint les accueillir sur le perron, les informa que tout s'était très bien passé avec Christina et leur souhaita une bonne nuit.

Une fois dans leur chambre, Manolo sortit un écrin de sa poche et le tendit à Ariane.

— J'ai quelque chose pour toi.

Elle le regarda avec étonnement.

— Mais je ne t'ai pas vu enchérir !

— Quelqu'un s'en est chargé pour moi.

Sans dire un mot, elle prit l'écrin d'une main tremblante.

— Ouvre-le, dit Manolo.

Le fait qu'il ait songé à lui faire un cadeau lui semblait plus important que le cadeau lui-même, mais, lorsqu'elle ouvrit le coffret de velours, elle ne put retenir un cri de surprise. C'étaient les boucles d'oreilles en émeraudes et diamants.

— Elles sont magnifiques, murmura-t-elle avec délice.

— Les émeraudes me rappellent tes yeux.

— Merci.

— C'est un plaisir de te les offrir, déclara-t-il en faisant glisser la fermeture Eclair de sa robe. Laisse-moi t'embrasser à présent. J'ai attendu ce moment toute la soirée.

— Moi aussi…, s'entendit-elle répondre dans un souffle.

Cette nuit-là, ils firent l'amour lentement, prenant le temps de se savourer l'un l'autre. Attentif aux réactions d'Ariane, Manolo lui fit atteindre des sommets de plaisir. Ivre de volupté, elle s'offrit sans retenue à ses caresses, gémissant de bonheur, succombant à l'extase dans l'abandon le plus total.

135

Jamais elle n'aurait imaginé ressentir un tel plaisir physique. Dans les bras de Manolo, elle se sentait femme, tout simplement. L'espace et le temps n'existaient plus. Seules comptaient les sensations prodigieuses qui grondaient en elle, comme un orage. Lorsqu'il lui faisait l'amour, elle avait l'impression de ne faire plus qu'un avec lui.

Tous deux étaient unis dans le même bonheur. Chacun donnait du plaisir à l'autre sans le prendre de manière égoïste. C'était une fête des sens chaque fois, un émerveillement sans cesse renouvelé.

Mais Ariane savait pourtant qu'il lui manquait l'essentiel : aimer et être aimée en retour.

Etait-ce trop demander ? s'interrogea-t-elle avant de sombrer dans le sommeil.

« Profite de l'instant présent, lui murmura la voix de sa conscience. Ne te projette pas au-delà... du moins, pas encore. »

11.

Les jours suivants s'écoulèrent paisiblement. Manolo consacrait toutes ses journées à son travail, mais ils se retrouvaient chaque nuit avec le même désir réciproque. Ariane avait décidé de jouir de l'instant présent et sa vie lui semblait des plus agréables.

Une seule ombre au tableau demeurait néanmoins : Roger.

Ses messages étaient de plus en plus nombreux et agressifs depuis son mariage avec Manolo. Bien entendu, Santos se chargeait de les filtrer, mais chaque fois qu'elle lui demandait un compte rendu des appels de son ex-époux, il était accablant.

Christina occupait le plus clair de son temps, mais Ariane n'avait pas abandonné tout projet pour autant. Dans les jours à venir, elle devait d'ailleurs animer un défilé de mode qui aurait lieu dans l'un des plus célèbres palaces de la ville. C'était un engagement qu'elle avait pris avant sa rencontre avec Manolo et celui-ci l'avait chaleureusement incitée à l'honorer.

— Etre la mère de Christina ne t'oblige pas à te couper du monde, lui redit-il un soir. Tu peux très bien poursuivre tes activités à ton rythme.

— Je regrette simplement que tu ne sois pas là à cette occasion, murmura-t-elle.

En effet, Manolo partait le lendemain pour quelques jours.

— Ne perdons pas de temps à nous lamenter, dit-il sur le ton de la plaisanterie. Pour l'instant, je n'ai qu'une envie : te faire l'amour. Quand je pense que je vais devoir me passer de toi pendant près d'une semaine !

Ariane émit un petit rire ravi, mais elle dut reconnaître en son for intérieur que le départ de son mari allait beaucoup lui peser.

— Oh, tu seras trop occupé entre tes réunions et tes dîners d'affaires à New York pour penser à moi, le taquina-t-elle.

Manolo la regarda avec intensité. Elle allait lui manquer, songea-t-il. Chaque nuit, lorsqu'ils faisaient l'amour, il prenait un peu plus conscience de l'attachement qu'il éprouvait pour elle. Ariane était une amante généreuse qui savait se donner totalement, sans calcul ou comédie.

Serait-il possible qu'il ne puisse plus se passer d'elle ? Jusqu'à présent, aucune femme n'avait su atteindre son cœur. Ariane allait-elle tout bouleverser ?

Deux jours plus tard, Ariane présentait au micro le défilé de mode le plus prestigieux de la saison. Il fut suivi d'un cocktail, auquel, bien entendu, elle se devait d'assister.

Malheureusement, Valentina faisait partie des mannequins recrutés pour l'événement, ce qui gâchait une bonne partie de son plaisir.

Elle était parvenue à l'éviter durant la première partie de la soirée, mais la jeune femme réussit à la croiser alors que les premiers invités commençaient à partir.

— Ariane, je ne pensais pas que vous viendriez, dit-elle sans sourire.

— Et pourquoi cela ?

Valentina ouvrit exagérément ses grands yeux, feignant l'étonnement.

— Voyons ! Vous êtes supposée vous occuper du bébé, non ? Après tout, c'est pour ça que Manolo vous a épousée.

Ariane ne cilla pas. Elle était prête à relever le défi.

— Vous oubliez un peu vite le sexe, fit-elle remarquer.

Le coup semblait avoir porté, mais la jeune actrice s'en remit très vite.

— Oh, ma chérie, n'imaginez surtout pas que ce soit particulièrement *spécial* avec vous. Et méfiez-vous, beaucoup de femmes sont prêtes à tout pour coucher avec lui.

— Y compris vous ?

— Il n'a pas son pareil pour ensorceler une femme, répondit-elle, les paupières mi-closes.

— Sur ce point, nous sommes d'accord, approuva Ariane qui ne se connaissait pas un tel sang-froid.

— Je me demande si Manolo est au courant de tout au sujet de votre ex…

Ariane sentit un flot de colère la submerger.

— Tout ce qu'il y a à savoir a déjà fait couler beaucoup d'encre dans la presse, me semble-t-il, asséna-t-elle d'une voix blanche.

— J'ai entendu dire qu'il vous appelait encore tous les jours, même maintenant, insista Valentina.

— Je ne vois pas où vous voulez en venir.

— Je veux juste que vous sachiez que j'attendrai patiemment que vous tombiez de votre piédestal.

— Pour prendre ma place ?

— Moi aussi, je peux jouer les mamans…

A cette seule idée, Ariane vit rouge. Imaginer l'adorable petite Christina entre les mains de cette mégère la rendait malade.

— Si vous êtes si douée pour « jouer les mamans », comme vous dites, expliquez-moi un peu pourquoi ce n'est pas à vous que Manolo a passé la bague au doigt.

Sur ces paroles, elle tourna les talons et se dirigea vers le hall où elle fit appeler sa voiture.

Le lendemain, dans la matinée, Santos annonça à Ariane qu'il comptait faire quelques courses.

— Vous avez besoin de quelque chose ? s'enquit-il avant de partir.

— Non merci.

— Dans ce cas, à plus tard !

Ariane alla jouer avec Christina puis la coucha pour sa sieste matinale. Il était près de 10 h 30. Elle prit le baby-phone et descendit au rez-de-chaussée d'un pas léger.

Le jardinier était en train de tondre la pelouse et Maria astiquait les meubles dans l'entrée. La sonnerie du téléphone retentit et la femme de ménage s'empressa de répondre.

Au bout de quelques instants, Ariane vit le visage de Maria se décomposer. Inquiète, elle s'approcha.

— Quelque chose ne va pas ? demanda-t-elle.

— C'était l'école de ma fille. Elle vient de se casser le bras et ils vont la transporter à l'hôpital.

Ariane n'hésita pas une seule seconde.

— Vous devez y aller. Prenez votre journée. Ne vous inquiétez pas, tout ira bien ici.

Maria parut embarrassée.

— Vous êtes sûre ? J'hésite un peu... Santos n'est pas là et...

— Santos sera bientôt de retour. Allez-y, votre fille a besoin de vous.

Maria la remercia chaleureusement et partit sans délai. Ariane se chargea d'actionner l'ouverture automatique du portail et le referma. Puis, elle décida de finir d'astiquer les meubles de l'entrée plutôt que de faire sa gymnastique quotidienne.

Quelques minutes plus tard, elle entendit la sonnerie de l'Interphone. Intriguée, elle regarda par la caméra de surveillance et vit un gigantesque bouquet devant l'écran.

— Une livraison de fleurs pour Ariane del Guardo, annonça une voix inconnue.

Manolo lui faisait envoyer des fleurs ?

Elle ouvrit le portail tout en annonçant au livreur :

— Vous pouvez avancer jusqu'au perron.

Le téléphone sonna au même moment. Elle décrocha aussitôt.

— Santos à l'appareil. Je serai en retard d'une demi-heure, dit-il.

— Pas de problème, répondit-elle sans juger utile de l'informer du départ de Maria.

Après avoir raccroché, elle se précipita vers la porte pour ouvrir au livreur. Une masse incroyable de fleurs dissimulait le visage de ce dernier. Ce ne fut qu'en cet instant qu'elle sentit confusément que quelque chose n'allait pas. Manolo, qui était si sourcilleux sur la sécurité de sa demeure, aurait-il fait appel à un service de livraison sans prévenir Santos ? Un mauvais pressentiment s'empara d'elle, mais il était trop tard. L'homme la poussa violemment à l'intérieur.

Le bouquet tomba à terre, révélant l'identité de l'intrus.

Roger ! Dire qu'elle n'avait pas reconnu sa voix !

Comment avait-elle pu être sotte au point d'ouvrir à ce fou sans se poser de questions ? Mais ce n'était pas le moment de s'adresser des reproches. Elle devait à tout prix rester calme et ne pas céder à la panique.

— Si… si tu pars tout de suite, je promets de ne pas porter plainte, dit-elle en s'efforçant de dissimuler sa terreur.

Roger émit un rire sinistre.

Comment avait-elle pu épouser cet homme ? Sans doute parce qu'il était un très bon comédien… le meilleur qu'elle avait jamais rencontré. Durant des mois, il avait réussi à la duper, ainsi que sa famille et ses amis.

— Alors, comme ça c'est ici que tu vis, déclara-t-il durement. Ma parole, tu as touché le jackpot, ma belle !

Ariane s'accrocha à l'idée que Santos serait de retour dans une demi-heure, peut-être moins. Et il y avait aussi le jardinier… Avec un peu de chance, il trouverait étrange que le van du fleuriste reste si longtemps garé devant le perron. A condition, bien sûr, qu'il ait vu le van !

Le téléphone portable d'Ariane était accroché à son pantalon. Le numéro de Santos était préprogrammé… Il fallait qu'elle trouve un moyen de le composer sans attirer l'attention de Roger.

— Alors, parle-moi de ce Manolo, railla Roger. Est-ce un bon coup ?

Le regard lubrique qui accompagna cette dernière remarque souleva le cœur d'Ariane.

— Il est gentil, répondit-elle avec prudence.

Connaissant la perversité de son ex-époux, la moindre parole maladroite était susceptible de le faire sortir de ses gonds.

— Gentil ? reprit-il en haussant les épaules. Ma pauvre fille, tu as toujours manqué d'imagination. Quoi qu'il en soit, ne te fais pas d'illusions. Il va bientôt se lasser de toi. Et franchement, ce n'est pas moi qui le lui reprocherai. Avec un bonnet de nuit comme toi, il ne doit pas s'amuser tous les soirs, le pauvre homme !

« Rappelle-toi qu'il est malade et accroche-toi à cette idée », se dit Ariane en faisant de son mieux pour gagner du temps.

— Nous verrons bien. Et si c'est ce qui se passe, je me débrouillerai, dit-elle calmement.

Pourvu que Christina ne se réveille pas, songea-t-elle avec désespoir. De grâce, qu'elle ne se mette pas à pleurer !

— Tu aurais dû répondre à mes appels ! lança Roger en se rapprochant dangereusement d'elle. Je voulais simplement te parler !

Qu'imaginait-il ? Qu'elle aurait pu donner suite à des coups de fil tous plus orduriers les uns que les autres ? Discrètement, elle s'éloigna de lui, et composa le numéro de Santos tout en parlant pour faire diversion.

— Eh bien, puisque tu es là, nous pouvons en profiter pour discuter un peu. Je t'écoute.

Avait-il entendu le bruit des touches ?

Il se mit à rire méchamment.

— C'était bien essayé, chérie, mais ça ne servira à rien, dit-il en désignant le téléphone derrière son dos. J'ai pris soin de crever les deux roues avant du majordome de ton époux. Il ne risque pas de venir à ton secours de sitôt ! Tu me prends vraiment pour un imbécile !

Heureusement, Roger ignorait un détail. L'appel qu'elle venait de passer à Santos était programmé pour être instantanément renvoyé à l'entreprise qui gérait le dispositif de sécurité de la maison. La police ne tarderait pas à être au courant. Combien de temps devait-elle tenir encore ? Cinq minutes ? Dix ?

« Aie l'air effrayé », se dit-elle. Roger avait toujours adoré lui faire peur. S'il la sentait vulnérable, il en profiterait certainement pour prolonger son plaisir.

— Alors, tu ne dis plus rien, ironisa-t-il. Déçue que ton chevalier servant ne puisse rien pour toi ?

— Ça valait la peine d'essayer, répondit-elle en baissant les yeux.

— Le problème, c'est que tu m'as sous-estimé ! Pourtant tu es bien placée pour savoir que j'excelle dans l'art de manipuler les gens.

Il la regarda avec mépris, puis ajouta :

— On peut dire que je me suis bien amusé avec toi. Oh, tu étais si *mignonne* quand je te faisais la cour. Une vraie vierge effarouchée, le genre à vouloir « se garder pour l'homme de sa vie ». Rien que d'y penser, ça me donne envie de rire.

Il l'agrippa par l'épaule en ricanant. Une bouffée d'angoisse submergea Ariane.

— Lâche-moi, je t'en prie, dit-elle en s'efforçant de rester calme.

— Ma pauvre Ariane, tu n'as jamais été bonne à rien, lança-t-il en la repoussant. Tu n'étais même pas fichue de porter un enfant. Et au lit, franchement tu ne valais rien.

— Roger…

— Ne m'interromps pas ! s'écria-t-il avec fureur. Tu n'aurais pas dû me quitter. On se marie pour le meilleur et pour le pire, tu te souviens ? Pourquoi es-tu partie ? Pourquoi ?

Comme elle restait muette, il la poussa avec force. Si fort qu'elle dut se retenir au mur pour ne pas tomber.

— Sale petite garce ! reprit-il en fulminant. Pourquoi m'as-tu infligé ce divorce, les avocats et la police ?

La situation devenait critique. Ariane se demanda avec angoisse si elle avait refermé le portail après l'avoir ouvert pour Roger. Si tel était le cas, personne ne parviendrait à entrer pour lui porter secours. « Réfléchis, se dit-elle aux abois, un vrai livreur ne reste que quelques minutes… tu n'aurais pas pris la peine de refermer les portes pour si peu de temps. »

Au moment où elle commençait à entrevoir un semblant d'espoir, Roger lui asséna un violent coup de poing dans les côtes. La douleur l'étourdit quelques instants, mais la rage qui s'empara d'elle fut plus forte. Habituée aux sports d'autodéfense, elle parvint à envoyer un coup de pied à Roger qui tomba en gémissant.

Sans lui laisser le temps de se relever, elle le plaqua au sol.

Deux secondes plus tard, Santos et les agents de police entrèrent en trombe dans la pièce. Les agents menottèrent Roger et le bouclèrent dans leur fourgon. Au même instant, une ambulance se gara dans la cour.

— Tout va bien ? s'enquit Santos qui semblait défait.

— Oui, je crois. Pourquoi être venu avec une ambulance ? demanda-t-elle, en portant les mains à son côté.

— C'était une précaution nécessaire… et malheureusement, j'ai eu raison de le faire. Vous êtes blessée ?

— Ce n'est rien, dit-elle, rassurée que son ex-mari soit enfin mis hors d'état de nuire.

Les médecins l'examinèrent et décrétèrent qu'elle devait immédiatement se rendre à l'hôpital pour passer des radios.

Les cris de Christina résonnèrent alors dans le baby-phone.

— Les radios peuvent attendre, non ?

— Ce n'est pas très prudent, madame.

— Pour le moment, ma fille a besoin de moi.

Elle avait voulu dire Christina, mais c'était « ma fille » qui était sorti à la place. Le traumatisme qu'Ariane venait de subir semblait avoir ouvert des vannes secrètes en elle.

— Très bien, consentit l'un des médecins en soupirant, mais je vous attends en début d'après-midi pour les radios. En attendant, voilà des comprimés qui vous aideront à supporter la douleur.

Lorsque tout le monde fut parti, Ariane passa du temps avec Christina dans la nurserie. Santos vint l'y retrouver.

— Comment vous sentez-vous ?

— Bien, assura-t-elle en souriant. Ne vous inquiétez pas.

— J'ai prévenu Manolo.

Ariane ferma les yeux. A cette idée, elle sentit son cœur se serrer. Pour l'heure, elle ne préférait pas imaginer sa réaction.

— Cela aurait pu attendre son retour, non ?

— Non. Il arrive par le premier avion.

— Comment ! s'exclama-t-elle. Déjà ?

— Bien sûr, voyons. Qu'imaginiez-vous ?

— Mais…, protesta-t-elle. Et ses rendez-vous ?

— A ses yeux, ils sont moins importants que votre bien-être.

— C'est de la folie, murmura-t-elle en secouant la tête.

Comme pour se rappeler à eux, la petite Christina se mit à couiner en mettant son poing dans la bouche.

— C'est l'heure de son déjeuner, fit remarquer Ariane.

— Laissez, je vais m'en occuper. Vous feriez mieux de vous reposer à présent.

— Je ne suis pas en sucre, Santos.

Etait-ce son imagination ou y avait-il une lueur d'admiration dans le regard du majordome ?

Tous deux s'occupèrent donc de Christina puis déjeunèrent d'une simple salade. Ils se rendirent ensuite à l'hôpital où les radios montrèrent qu'Ariane avait trois côtes cassées. Les médecins lui remirent de nouveaux médicaments contre la douleur et lui prescrivirent beaucoup de repos.

Ce soir-là, Ariane décida de se coucher tôt. Après avoir lu quelques pages d'un roman policier, elle éteignit la lumière et se mit à somnoler.

Elle ignorait si elle avait dormi ou non lorsqu'elle fut tirée de sa torpeur par un léger bruit venant de la salle de bains de Manolo. Ouvrant les yeux, quelle ne fut pas sa surprise d'apercevoir son mari dans l'entrebâillement de la porte, nu !

Elle se releva tout à fait, voulut parler, mais pas un son ne sortit de sa bouche.

— Chut…, murmura Manolo en la rejoignant sous les draps.

— C'est juste que…, bafouilla-t-elle, ne sachant comment lui expliquer ce qui s'était produit dans la journée.

— Chut…, répéta-t-il en la faisant taire d'un baiser.

Il l'embrassa avec une douceur telle qu'Ariane sentit les larmes lui monter aux yeux.

— Christina va bien…, murmura-t-elle lorsqu'il releva la tête.

— Et toi, *querida* ?

— Je me sens soulagée

Se doutait-elle seulement de ce qu'il avait ressenti en apprenant que Roger l'avait agressée ? se demanda-t-il en lui caressant doucement les cheveux. Il se souvint de la rage qui s'était emparée de lui lorsque Santos l'avait appelé. La rage et l'impuissance puisqu'il se trouvait alors à des milliers de kilomètres d'elle. Durant le vol jusqu'à Sydney, il s'était tenu informé des premières conclusions de l'enquête. Roger Enright avait soigneusement noté l'emploi du temps du personnel de sa demeure afin de profiter de la moindre défaillance. L'absence inopinée de Maria et de Santos lui avait permis de mettre à exécution son plan, échafaudé de longue date.

Et dire qu'il avait suffi d'une supercherie pour mettre à mal le système de sécurité de sa demeure ! A l'avenir, il redoublerait de vigilance afin qu'un tel incident ne se reproduise jamais.

Il y avait des mots qu'il souhaitait dire à Ariane, mais y parviendrait-il ?

Singulièrement ému, il la serra tendrement contre lui.

— Est-ce que tu veux parler de ce qui s'est passé ? murmura-t-il à son oreille.

— Non, répondit-elle dans un souffle. Je préfère attendre demain. Tu sais… tu n'étais pas obligé de revenir.

— Si. Quand j'ai su que tu avais été blessée, j'ai cru devenir fou. En un sens, c'est une chance que j'ai dû faire un si long voyage pour te rejoindre. Si j'étais arrivé en même temps que la police, j'aurais volontiers étranglé ton ex-mari.

D'un geste infiniment doux, il lui caressa la joue. Etrangement, cette caresse donna à Ariane l'envie de pleurer.

— Je suis revenu parce que j'avais besoin de te toucher et de t'embrasser, reprit Manolo d'une voix rauque.

L'imagination d'Ariane lui jouait-elle des tours ou il était en proie à une violente émotion ?

— Tu aurais pu m'appeler, fit-elle remarquer.

— Non, ça ne pouvait pas me suffire.

Le cœur d'Ariane fit un bond dans sa poitrine. Qu'était-il en train de dire ?

— Tu n'imagines pas ce que j'ai ressenti lorsque Santos m'a appelé.

— Il n'aurait pas dû t'inquiéter…, répondit-elle, d'une voix étranglée par l'émotion.

— Il devait le faire, bien au contraire.

— Et les contrats que tu devais conclure ?

— J'étais en pleine réunion lorsque j'ai reçu son appel et, crois-moi, ça ne m'a pas dérangé de tout annuler. Je n'avais qu'une idée en tête : être avec toi.

Ariane n'osait croire à ce qu'elle entendait. Trop secouée pour parler, elle se blottit contre lui.

— Durant le vol, j'ai pris d'importantes décisions, poursuivit-il. Dorénavant, je déléguerai davantage le travail à mes collaborateurs afin de pouvoir être plus présent à la maison. Je compte limiter également mes voyages d'affaires.

Elle releva la tête et crut défaillir en découvrant l'expression de Manolo. Pour la première fois, ses yeux révélaient le secret de son âme, dans une déchirante déclaration.

— Manolo, dit-elle dans un souffle.

— Je t'aime, répondit-il en s'accrochant à son regard comme un noyé à une bouée.

Le bonheur qui envahit Ariane était si grand qu'elle suffisait à peine à le contenir.

— Merci, chuchota-t-elle.

— Tu me remercies de t'aimer ?

— Je te remercie pour ce don ultime, parvint-elle à dire. Le plus beau de tous. Je t'aime aussi.

Manolo l'enlaça délicatement et, transfigurés par les sentiments qu'ils venaient de s'avouer, ils firent l'amour, ne formant plus qu'un seul être.

Plus tard, alors qu'ils étaient sur le point de s'endormir, elle se lova contre lui avec béatitude.

— Tu es ma vie, dit-elle avec conviction. Tu m'as donné la force de croire en l'amour... tu m'as appris ce que c'était d'aimer.

— Pourtant, notre mariage n'a pas vraiment commencé sur ces bases-là, la taquina-t-il.

— J'ai accepté de t'épouser pour l'arrangement que tu me proposais... parce que tu m'offrais la possibilité d'avoir la fille que je n'aurais jamais pu concevoir. Et je t'en étais profondément reconnaissante. A ce moment-là, je ne voulais pas tomber amoureuse de toi.

— Mais c'est ce qui s'est finalement produit, répondit-il en souriant.

— Je voulais savoir une chose..., commença-t-elle d'une voix hésitante.

— Oui ?

— Tu ne m'as jamais parlé de la mère de Christina.

— Yvonne ?

En quelques mots, Manolo lui raconta comment Yvonne avait réussi à l'épouser, le contrat qu'ils avaient conclu à la naissance de la petite et l'accident qui avait coûté la vie à la jeune femme.

— Un test ADN a permis d'établir ma paternité, conclut-il. Et j'ai l'habitude de garder ce qui est à moi.

Ariane déposa un baiser sur sa joue.

— Et tant que nous sommes à ce chapitre, sache que Valentina n'a jamais été ma maîtresse, poursuivit-il.

C'était exactement ce qu'Ariane avait envie d'entendre, ce qui était nécessaire pour balayer les dernières zones d'ombre dans leur relation.

Un cri étouffé résonna dans le baby-phone, rapidement suivi de pleurs en saccade.

— Je vais aller la voir, déclara Manolo en saisissant une robe de chambre.

— Je viens avec toi, décréta Ariane en enfilant un peignoir à son tour.

Christina cessa de crier lorsqu'ils entrèrent dans la nurserie pour reprendre ses pleurs aussitôt, en essayant d'engouffrer son petit poing dans sa bouche.

— Je pense qu'une autre dent est en train de percer, dit Ariane en prenant la fillette dans les bras. Pauvre ange ! Voyons ce que nous pouvons faire pour toi.

Manolo alla chercher le gel apaisant dans la salle de bains et massa doucement la gencive endolorie de l'enfant.

Quelques minutes plus tard, Ariane recoucha Christina qui, soulagée, s'endormit aussitôt. Ils la regardèrent, attendris.

— Un jour, Christina sera une très jolie jeune femme, murmura Ariane.

— Avec toi comme mère, je suis sûr qu'elle sera en plus quelqu'un d'honnête et d'intègre.

Ariane se sentit rosir de plaisir.

— Un compliment ?

— Tu ferais mieux de t'y habituer !

De retour dans la chambre, ils laissèrent tomber leurs robes de chambre et se glissèrent sous les couvertures avec délice.

— Viens dans mes bras, *querida*.

— Je suis si heureuse, Manolo !

D'un doigt, il dessina l'ourlé de ses lèvres, puis les captura dans un baiser tendre et passionné tout à la fois.

— Et toi, tu es tout ce que j'avais toujours désiré, sans jamais espérer l'avoir, dit-il lorsqu'ils parvinrent à se détacher l'un de l'autre.

Une larme de bonheur coula le long de la joue d'Ariane. La joie qu'elle ressentait était d'autant plus pure qu'elle n'avait pas soupçonné la connaître en épousant Manolo.

Ils venaient de commencer un long voyage à deux, et se sentaient assez de force pour le continuer à jamais.

Chère lectrice,

Vous nous êtes fidèle depuis longtemps?
Vous venez de faire notre connaissance?

C'est pour votre plaisir que nous avons
imaginé un rendez-vous chaque mois
avec vos auteurs préférés, vos
AUTEURS VEDETTE dans les
collections Azur et Horizon.

Les AUTEURS VEDETTE vous
donneront rendez-vous pour de
nouveaux livres vedette.

Pour les reconnaître, cherchez
l'étoile ... Elle vous guidera!

Éditions Harlequin

LE FORUM DES LECTEURS ET LECTRICES

CHERS(ES) LECTEURS ET LECTRICES,

VOUS NOUS ETES FIDÈLES DEPUIS LONGTEMPS?

VOUS VENEZ DE FAIRE NOTRE CONNAISSANCE?

SI VOUS AVEZ DES COMMENTAIRES, DES CRITIQUES À
FORMULER, DES SUGGESTIONS À OFFRIR, N'HÉSITEZ
PAS… ÉCRIVEZ-NOUS À:
      LES ENTERPRISES HARLEQUIN LTÉE.
      498 RUE ODILE
      FABREVILLE, LAVAL, QUÉBEC.
      H7R 5X1

C'EST AVEC VOS PRÉCIEUX COMMENTAIRES QUE NOUS
ALLONS POUVOIR MIEUX VOUS SERVIR.

DE PLUS, SI VOUS DÉSIREZ RECEVOIR UNE OU
PLUSIEURS DE VOS SÉRIES HARLEQUIN PRÉFÉRÉE(S)
À VOTRE DOMICILE, NE TARDEZ PAS À CONTACTER LE
SERVICE D'ABONNEMENT; EN APPELANT AU
(514) 875-4444 (RÉGION DE MONTRÉAL) OU 1-800-667-4444
(EXTÉRIEUR DE MONTRÉAL) OU TÉLÉCOPIEUR
(514) 523-4444 OU COURRIER ELECTRONIQUE:
AQCOURRIER@ABONNEMENT.QC.CA OU EN ÉCRIVANT À:
      ABONNEMENT QUÉBEC
      525 RUE LOUIS-PASTEUR
      BOUCHERVILLE, QUÉBEC
      J4B 8E7

MERCI, À L'AVANCE, DE VOTRE COOPÉRATION.

BONNE LECTURE.

HARLEQUIN.

VOTRE PASSEPORT POUR LE MONDE DE L'AMOUR.

<u>COLLECTION HORIZON</u>

Des histoires d'amour romantiques qui vous mènent au bout du monde!

Découvrez la passion et les vives émotions qu'apportent à la Collection Horizon des auteurs de renommée internationale!

Captivantes, voire irrésistibles, ces histoires d'amour vous iront assurément droit au coeur.

Surveillez nos trois nouveaux titres chaque mois!